Małgorzata Małolepsza
Aneta Szymkiewicz

ZESZYT ĆWICZEŃ

Podręcznik PO POLSKU 1 powstał w ramach projektu „Hurra!!!" Socrates Lingua 2 (103360-CP-1-2002-1-PL-LINGUA-L2)

SOCRATES TRANSNATIONAL CO-OPERATION PROJECT
LINGUA ACTION 2 - DEVELOPMENT OF TOOLS AND MATERIALS

HURRA!!! A COMPREHENSIVE SET OF POLISH TEACHING AND LEARNING MATERIALS
103360-CP-1-2002-1-PL-LINGUA-L2

This project has been carried out with the support of the European Community in the framework of the Socrates programme.

Redaktor prowadzący serii HURRA!!!: Agata Stępnik-Siara
Konsultacje metodyczne: Ron Mukerji
Recenzenci: prof. dr hab. Anna Dąbrowska, prof. dr hab. Jan Mazur, dr Waldemar Martyniuk

Ośrodki współpracujące i testujące podręczniki:
Uniwersytet Wiedeński, Instytut Slawistyki (www.univie.ac.at/slawistik)
Uniwersytet Jagielloński, Szkoła Języka i Kultury Polskiej UJ (www.uj.edu.pl/SL)
The Brasshouse Centre Birmingham (www.birmingham.gov.uk/brasshouse)
Kolleg für Polnische Sprache und Kultur Berlin (www.kolleg.pl)

Projekt graficzny i łamanie: Studio Quadro (www.quadro.com.pl)
Projekt okładki: Studio Quadro (www.quadro.com.pl)
Redakcja językowa i korekty: KS & zespół
Nagrania: Studio Nagrań Nieustraszeni Łowcy Dźwięków (www.nld.com.pl)
Dobór zdjęć do lekcji: Studio Quadro (www.quadro.com.pl)

Autorzy i Wydawcy serii HURRA!!! pragną podziękować wszystkim, którzy przyczynili się do powstania serii. Bez ich wsparcia nie udałoby się zrealizować projektu i złożyć książek do druku.
Recenzentom i konsultantom, w szczególności pani prof. Annie Dąbrowskiej za szczegółową recenzję części serii: PO POLSKU 1, PO POLSKU 2, PO POLSKU 3 oraz za cenne wskazówki przekazane Autorkom.
Nauczycielom testującym podręczniki w Szkole Języków Obcych PROLOG: Izie Murzyn, Romanowi Jendrusiowi, Simonowi Lunn i Robertowi Syposzowi oraz Edycie Gałat, testującej materiały w Szkole Języka i Kultury Polskiej UJ w Krakowie.
Nauczycielom testującym materiały w ośrodkach zagranicznych: dr Grzegorzowi Gugulskiemu (Uniwersytet Wiedeński), Ewie Krauss (Uniwersytet w Jenie), Annie Zinserling, Jolancie Schmidt, Beacie Dietrich, Alexandrze Czupalla, Magdalenie Wiażewicz, Ewelinie Meyer, Lidii Liebmann, Arturowi Kolasińskiemu (Kolleg für Polnische Sprache und Kultur, Berlin) oraz Bogumile Brożek-Miller (The Brasshouse Centre Birmingham). Autorki dziękują również Piotrowi Paliwodzie za całą pomoc, której udzielił podczas trwania projektu.

Wszystkim osobom, które użyczyły swoich głosów do nagrań próbnych (rodzinie i znajomym Autorek oraz uczestnikom kursów języka polskiego w szkole PROLOG), a także pani Ruth Fruchtman za udostępnienie sprzętu nagrywającego.

Wydanie II poprawione z płytą Audio CD

ISBN 978-83-60229-16-3

Opieka nad drukiem: Pogotowie Reklamowe ERKA (www.erka-pr.com)
Druk: Drukarnia Know How

PROLOG Szkoła Języków Obcych
ul. Bronowicka 37, 30-084 Kraków
tel./fax +48 (12) 638 45 50, tel. +48 (12) 638 45 65
e-mail: hurra@prolog.edu.pl
www.prolog.edu.pl

spis treści

lekcja 1

Jak masz na imię?

Słownictwo

CD **1 Proszę uzupełnić dialogi, posłuchać nagrania i sprawdzić swoje odpowiedzi.**

Dialog 1

– Dzień ...dobry...... .
– Dzień dobry. Przepraszam, jak się .... nazywa?
– .... Maria Bukowska, ... pani?
– .... Magda Kowalska.
– Miło ....
– .... ?
– Świetnie.
– .... ?
– W Krakowie.

Dialog 2

– Dobry ....
– Dobry wieczór. Jak się pan ....?
– Tak ...., a pani?
– Bardzo .... Przepraszam. Nie wiem, jak ma pan na ....
– Mam na .... Jan. A pani?
– Jestem .... Przepraszam, ... pan mieszka?
– Nie .... Proszę powtórzyć.
– Gdzie pan ....?
– Mieszkam .... hotelu Forum.

CD **2 Proszę uzupełnić zdania, posłuchać nagrania i sprawdzić swoje odpowiedzi.**

Przykład: ....Proszę...... mówić wolniej.

1. .... powtórzyć.
2. .... pytanie.
3. .... mieszkasz?
4. .... to jest?
5. Czy .... telefon?
6. .... masz na imię?
7. .... się masz?
8. Jak .... nazywasz?
9. Przepraszam, ... rozumiem.

3 Proszę napisać, ile to jest.

Przykład: Dwa plus dwa to jest ...cztery. / 2+2=4........

1. Osiem minus cztery to jest .... / ....
2. Dziesięć minus dziewięć to jest .... / ....
3. Pięć minus trzy to jest .... / ....
4. Cztery plus pięć to jest .... / ....
5. Zero plus osiem to jest .... / ....
6. Dziewięć minus dziewięć to jest .... / ....
7. Trzy plus cztery to jest .... / ....
8. Siedem minus jeden to jest .... / ....
9. Pięć plus cztery plus jeden to jest .... / ....
10. Sześć plus cztery to jest .... / ....

CD **4** **Proszę posłuchać nagrania i zanotować, jakie oni mają numery telefonu.**

imię i nazwisko	numer komórki	telefon domowy
Anna Nowacka		
Jerzy Kuźniak		

Gramatyka CZASOWNIK

5 **Proszę wpisać poprawną formę czasownika.**

Przykład: (my) *Mieszkamy* w Warszawie. (mieszkać)

1. Ona .... w Krakowie. (mieszkać)
2. Czy pan .... z Polski? (być)
3. Czy pan .... Piotr Kowalski? (nazywać się)
4. To .... krzesło. (być)
5. Skąd państwo ....? (być)
6. Czy (ty) .... auto? (mieć)
7. (ja) .... telefon. (mieć)
8. (ja) .... bardzo. (przepraszać)
9. (ja) Nie .... (rozumieć)
10. Czy pani .... komputer? (mieć)
11. One .... z Francji. (być)

Słownictwo

6a **Proszę napisać pytania w stylu nieoficjalnym i oficjalnym.**

STYL NIEOFICJALNY	STYL OFICJALNY
Przykład: Jak masz na imię?	Jak ma pan na imię? / Jak ma pani na imię?
1.	Jak się pan nazywa? / Jak się pani nazywa?
2.	Skąd pan jest? / Skąd pani jest?
3. Gdzie mieszkasz?	....
4. Jak się masz?	....
5.	Czy ma pan telefon? / Czy ma pani telefon?
6.	Jaki ma pan adres? / Jaki ma pani adres?
7. Czy masz paszport?	....

CD **6b** **Proszę posłuchać nagrania i sprawdzić swoje odpowiedzi.**

lekcja 2

Mam pytanie. Co to jest?

Słownictwo

1 Proszę napisać odpowiedzi.

Czy to jest / są...? Tak, to jest / są... Nie, to nie jest / są... To jest / są...

Czy to jest książka telefoniczna?
Tak, to jest książka telefoniczna.

Czy to jest telefon?
Nie, to nie jest telefon. To jest okno.

1. Czy to jest stół?
....
....

2. Czy to jest krzesło?
....
....

3. Czy to są drzwi?
....
....

4. Czy to jest dom?
....
....

5. Czy to są okulary?
....
....

6. Czy to jest artysta?
....
....

7. Czy to jest kobieta?
....
....

8. Czy to jest dziecko?
....
....

9. Czy to jest dentysta?
....
....

10. Czy to jest studentka?
....
....

CD **2** **Proszę napisać, jaki to przymiotnik. Proszę posłuchać nagrania i sprawdzić swoje odpowiedzi.**

Przykład: dnieśrego wtuzsro – ...średniego wzrostu...

1. czuszpły – ....
2. yskiow – ....
3. niksi – ....
4. gubry – ....
5. modły – ....
6. ywsotproanwy – ....
7. pryzstnjoy – ....
8. aładn – ....
9. wełyso – ....
10. mustny – ....
11. bzyrkdi – ....
12. syrta – ....

Ortografia

3a **Proszę dopisać litery ę albo ś i napisać liczebniki cyframi. Proszę dopasować wyniki do zadań matematycznych.**

1. siedemna..ś..cie – ...17...
2. jedena.....cie – ....
3. dwana.....cie – ....
4. pi.....tna.....cie – ....
5. szesna.....cie – ....
6. trzyna.....cie – ....
7. dziewi.....tna.....cie – ....
8. czterna.....cie – ....
9. dwadzie.....cia – ....
10. osiemna.....cie – ....

a) dziesięć plus dziesięć – ....
b) osiem plus dziewięć – ...8+9....
c) dziewięć plus dziewięć – ....
d) trzy plus dziewięć – ....
e) trzy plus dziesięć – ....
f) siedem plus dziewięć – ....
g) dziesięć plus dziewięć – ....
h) pięć plus dziesięć – ....
i) dwa plus dziewięć – ....
j) cztery plus dziesięć – ....

CD **3b** **Proszę posłuchać nagrania i sprawdzić swoje odpowiedzi.**

4 **Jakie tu są słowa? (poziomo → i pionowo ↓)**

P	R	Z	E	P	R	A	S	Z	A	M	R	T
R	Ę	Ą	Ó	Y	T	D	O	M	Y	A	T	A
O	I	M	I	T	A	R	T	E	L	M	E	K
S	J	O	P	A	S	E	I	M	I	Ę	L	W
Z	C	K	I	N	S	S	I	Ę	K	L	J	H
Ę	H	N	Y	I	Ć	K	S	I	Ą	Ż	K	A
S	E	O	Ó	E	N	A	Z	W	I	S	K	O

CD **5** **Proszę ułożyć dialog we właściwej kolejności, posłuchać nagrania i sprawdzić swoje odpowiedzi.**

...... – Mieszkam w Krakowie. A ty?
...... – Gdzie mieszkasz?
...... – Cześć. Mam na imię Dorota.
...... – Bardzo mi miło.
..1.. – Cześć. Jestem Anna. Jak masz na imię?
...... – Miło mi.
...... – Z Niemiec, ale mieszkam w Polsce. Studiuję.
...... – W Warszawie. Skąd jesteś?
...... – Co studiujesz?
...... – Filozofię i architekturę.

lekcja 2

Gramatyka

6 Proszę ułożyć zdania lub pytania.

Przykład: w – mieszkam – Polsce. ......*Mieszkam w Polsce.*......

1. imię – on – ma – na – Paweł ....
2. nazywamy – a – wy? – się – Wielochowie, ...
3. to – czy – jest – książka? ....
4. są – oni – Niemiec – z ....
5. miło – bardzo – mi ....
6. nic – szkodzi – nie ....
7. znaczy – co – „pies"? ....
8. nie – powtórzyć – przepraszam – rozumiem – proszę ....
9. one – gdzie – mieszkają – teraz ....
10. wiem – jak – ten – nazywa – mężczyzna – się – nie ....

CZASOWNIK

7 Proszę utworzyć właściwą formę czasownika.

Przykład: (ja) *Mieszkam*..... w Poznaniu. (mieszkać)

1. On .... we Wrocławiu. (mieszkać)
2. Czy oni .... Kowalscy? (nazywać się)
3. To .... drzwi. (być)
4. Czy (wy) ....? (rozumieć)
5. Skąd pan ....? (być)
6. (my) .... duży dom. (mieć)
7. (ja) .... telefon komórkowy. (mieć)
8. (my) Bardzo .... (przepraszać)
9. To .... okulary. (być)
10. (my) Nie .... (rozumieć)
11. Czy pani .... komputer? (mieć)
12. One .... książkę. (czytać)
13. O co (wy) ....? (pytać)
14. Co (ty) ....? (czytać)
15. (ja) .... francuski magazyn. (czytać)
16. To .... okulary. (być)

RZECZOWNIK

8 Proszę napisać, jaki rodzaj mają te rzeczowniki (męski, żeński czy nijaki). Dlaczego Pan / Pani tak myśli?

rzeczownik	rodzaj
Przykład: okno	......*nijaki*......
1. zdjęcie	....
2. lekcja	....
3. kot	....
4. książka	....
5. rzeka	....
6. dom	....
7. dentysta	....
8. centrum	....
9. dentystka	....
10. biuro	....
11. dziecko	....
12. wino	....
13. gimnazjum	....
14. adres	....
15. telefon	....
16. słońce	....
17. grupa	....
18. mężczyzna	....
19. pani	....
20. miasto	....

PRZYMIOTNIK

9 **Do podanych przymiotników proszę dopisać właściwe zakończenie (*-y*; *-i*; *-a*; *-e*; *-ie*).**

Przykład: dobr ..*a*.. kawa

1. dobr ..... poeta
2. dobr ..... poetka
3. polsk ..... rzeka
4. czyst ..... hotel
5. dobr ..... aktor
6. interesując ..... książka
7. dobr ..... wieczór
8. dobr ..... wino
9. klasyczn ..... muzyka
10. włosk ..... architektura
11. amerykańsk ..... film
12. fataln ..... dzień
13. interesując ..... muzeum
14. interesując ..... projekt
15. hiszpańsk ..... miasto
16. now ..... lampa
17. polsk ..... miasto
18. niemieck ..... bank
19. interesując ..... magazyn
20. now ..... komputer
21. now ..... adres
22. polsk ..... piwo
23. niemieck ..... auto
24. now .....park
25. eleganck ..... kobieta
26. eleganck ..... mężczyzna
27. dobr ..... gimnazjum

Ortografia

10a **Proszę dopisać kropki, kreski i ogonki. Gdzie jest *ę, ą, ć, ź, ż, ó, ł, ń, ś*?**

proszę powtórzyć, one przepraszaja, dziekuje, panstwo, slonce, imie, samogloska, spolgloska, prosze napisac, mowic, Gdansk, Krakow, Czestochowa, Wisla, sie, wieczor, dzien, swietnie, zle, skad, oni sa, ty jestes, ksiazka, samochod, amerykanski, hiszpanski, japonski, krzeslo, stol, mezczyzna

Wymowa

CD **10b** **Proszę posłuchać nagrania i powtórzyć.**

lekcja 3

Kim jesteś?

Słownictwo

1 Proszę napisać poprawnie ten tekst. Gdzie trzeba wstawić kropkę, a gdzie przecinek? Gdzie są duże litery?

bardzointeresujęsięjęzykiempolskimdlaczegobointeresujęsiępolskąipolakamijestemanglikiemalemamkontakty zpolskaterazmieszkamwpolscemamfirmękomputerowąwewrocławiuczymówiędobrzepopolskuwszyscymówią żemówięświetniealejawiemżenieznamdobrzegramatykialeterazuczęsiępolskiegonakursie

....

....

....

2 Proszę rozwiązać tę krzyżówkę. Jakie jest hasło?

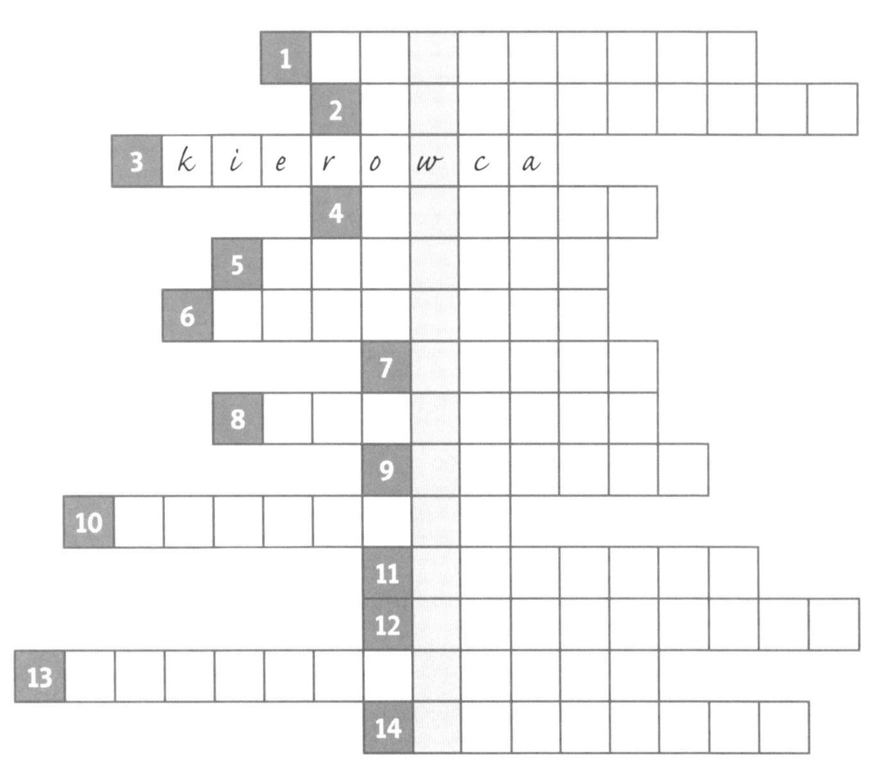

1. Mężczyzna, który ma firmę.
2. Mężczyzna, który pracuje w szkole.
3. Mężczyzna, który prowadzi taksówkę.
4. Mężczyzna, który mieszka i pracuje na wsi.
5. Mężczyzna, który studiuje.
6. Mężczyzna, który ma gabinet dentystyczny.
7. Pisze poezję, na przykład Stanisław Barańczak.
8. Mężczyzna, który robi zdjęcia.
9. Pisze poezję, na przykład Wisława Szymborska.
10. Mężczyzna, który pracuje na uniwersytecie.
11. Kobieta, która pracuje w szpitalu.
12. Kobieta, która studiuje.
13. Kobieta, która pracuje w radiu, telewizji albo w gazecie.
14. Mężczyzna, który pracuje w urzędzie.

3 Proszę dopasować pytania do odpowiedzi.

1. Jak masz na imię?	a) Jestem z Anglii.
2. Skąd jesteś?	b) Beata.
3. Jak się masz?	c) Studiuję marketing.
4. Co robisz?	d) Dobrze, dziękuję.
5. Co to jest?	e) Polskimi filmami.
6. Kto to jest?	f) Nazywam się Beata Nowak.
7. Czy to jest długopis?	g) W Brukseli.
8. Czym się interesujesz?	h) Ona jest studentką.
9. Jak się nazywasz?	i) Tak, to jest długopis.
10. Gdzie mieszkasz?	j) To jest krzesło.
11. Kim ona jest?	k) To jest dziecko.

Gramatyka MIANOWNIK / NARZĘDNIK

4 Proszę zdecydować, która forma jest poprawna? Dlaczego?

Przykład:

Umberto Eco jest Włoch / Włochem.

1. Kasia jest Polką / Polka.
2. Grundig to niemiecka firma / Niemka.
3. John Smith jest Amerykaninem / amerykański.
4. Andrew to angielski student / Anglikiem.
5. Robert jest angielski student / Anglikiem.
6. Barcelona to hiszpańskim miastem / hiszpańskie miasto.
7. Raisa jest rosyjska / Rosjanką.
8. Wisła to polska rzeka / polską rzeką.

RZECZOWNIK, PRZYMIOTNIK, ZAIMEK

5 **Proszę uzupełnić zdania poprawnymi formami narzędnika.**

A. Liczba pojedyncza

Przykład: On jest ..*wysokim urzędnikiem*.... (wysoki urzędnik).

1. On interesuje się .... (muzyka klasyczna).
2. Ona interesuje się .... (polska historia).
3. Interesujemy się .... (niemiecki sport).
4. Czy Jarek jest .... (dobry kierowca)?
5. Ona jest .... (dobra nauczycielka).
6. Interesuję się .... (literatura rosyjska).
7. Oni interesują się .... (język polski).
8. One interesują się .... (język angielski).
9. On jest .... (szczupły mężczyzna).
10. Ona jest .... (niska kobieta).
11. Magda jest .... (dobra studentka).
12. Czy on jest .... (dobry poeta)?
13. Czy ona jest .... (dobra poetka)?
14. Sophia Loren jest .... (włoska aktorka).
15. Ona jest .... (dobra dentystka).

B. Liczba mnoga

Przykład: Andreas jest Niemcem i Rose jest Niemką. Oni są ......*Niemcami*...... .

1. Eva jest Niemką i Melanie jest Niemką. One są ....
2. Marek jest Polakiem i Anna jest Polką. Oni są ....
3. Anna i Agnieszka są .... (sympatyczna Polka).
4. Oni są .... (kreatywny student).
5. One są .... (ambitna studentka).
6. Interesujesz się .... (japońskie auto)?
7. Oni są .... (dobry nauczyciel).
8. Magdalena i Dorota są .... (dobra nauczycielka).
9. Mariusz i Paweł są .... (wysoki mężczyzna).
10. Wanda i Basia są .... (ładna i sympatyczna kobieta).
11. Czy jesteście .... (ambitny student)?
12. Interesujemy się .... (aktualna informacja).

CZASOWNIK

6 Proszę uzupełnić zdania właściwą formą czasownika.

A. *lubić*

Przykład: (my) Bardzo ...*lubimy*... sport.

1. (ja) Bardzo .... mówić po polsku.
2. Andrzej .... polski film.
3. Czy (wy) .... teatr?
4. Mariusz i Agnieszka .... kino.
5. Czy (ty) .... telewizję?

B. *mówić*

1. Oni .... po hiszpańsku i po niemiecku.
2. Marek .... świetnie po angielsku.
3. Znasz dobrze angielski? Nie, ... tylko trochę po angielsku.
4. Czy państwo .... po francusku?
5. Czy (ty) dobrze .... po hiszpańsku?

C. *robić*

1. Co (wy) .... w Polsce?
2. Co (ty) .... w Warszawie? Studiujesz tam?
3. Wojtek jest fotografem i .... zdjęcia.
4. Co oni .... we Wrocławiu? Pracują tam i studiują.
5. Jestem dziennikarzem i .... reportaże.

D. *uczyć się*

1. Dlaczego (wy) .... polskiego?
2. (my) .... polskiego, bo studiujemy w Polsce.
3. One .... angielskiego w Londynie.
4. Czy Uwe .... polskiego?
5. (ja) .... hiszpańskiego.

7 Proszę uzupełnić tabelę.

	STYL NIEOFICJALNY	STYL OFICJALNY
	Przykład: Cześć.	Dzień dobry.
1.		Do widzenia.
2.	Gdzie mieszkasz?	
3.		Gdzie pan pracuje? Gdzie pani pracuje?
4.	Gdzie studiujesz?	
5.	Skąd jesteś?	Skąd pan jest? Skąd pani jest?
6.		Co pan robi? Co pani robi?
7.	Kim jesteś z zawodu?	
8.		Czy mówi pan po polsku? Czy mówi pani po polsku?
9.	Czy znasz język polski?	
10.	Czy lubisz język polski?	
11.		Dlaczego uczy się pan polskiego? Dlaczego uczy się pani polskiego?

CD 8 Proszę uzupełnić dialog, posłuchać nagrania i sprawdzić swoje odpowiedzi.

Paweł: Cześć, jak się ....?
Paul: Dziękuję, ... dobrze, a ....?
Paweł: Tak .... Przepraszam, ... wy się znacie?
Paul: Nie. Nie ...., kto to jest.
Paweł: .... jest mój kuzyn. Ma na .... David.
David: Bardzo mi ....
Paul: Miło mi. .... mieszkasz?
David: Przepraszam, ... rozumiem, mówię .... po polsku.
Paul: Gdzie mieszkasz? .... hotelu?
David: Tak, mieszkam w hotelu. A ....?
Paul: Mieszkam w akademiku. Co .... w Łodzi?
David: Teraz .... się .... polskiego.
Paul: A skąd jesteś?
David: Jestem z .... – jestem Anglikiem.

lekcja 4

Czy masz brata?

Słownictwo

Ortografia

1 Proszę wpisać brakujące litery.

Przykład: Brat i siostra to ro *d* *z* e *ń* stwo.

Matka i ojciec to ro … … i … e.

Syn i córka to d … i … … … .

Mąż i żona to ma … … e … stwo.

2 Proszę dopasować słowa z kolumny 1 – 10 do słów z kolumny a – j.

Przykład: brat ojca ——— wujek

1. siostra matki	a) wnuk
2. żona ojca	b) prababcia
3. matka ojca	c) matka
4. córka wujka	d) pradziadek
5. ojciec ojca	e) kuzyn
6. ojciec dziadka	f) kuzynka
7. syn cioci	g) dziadek
8. matka dziadka	h) ciocia
9. syn syna	i) babcia
10. córka syna	j) wnuczka

3 Proszę dopasować liczby z kolumny A do B.

A	B
145	czterdzieści sześć
78	sto czterdzieści pięć
12	trzydzieści dziewięć
39	dwanaście
46	siedemdziesiąt osiem
199	sześćdziesiąt
27	sto dziewięćdziesiąt dziewięć
60	osiemdziesiąt osiem
88	dwadzieścia siedem
101	sto jeden

Ortografia

4 Ile to jest? Proszę wpisać słownie kwotę.

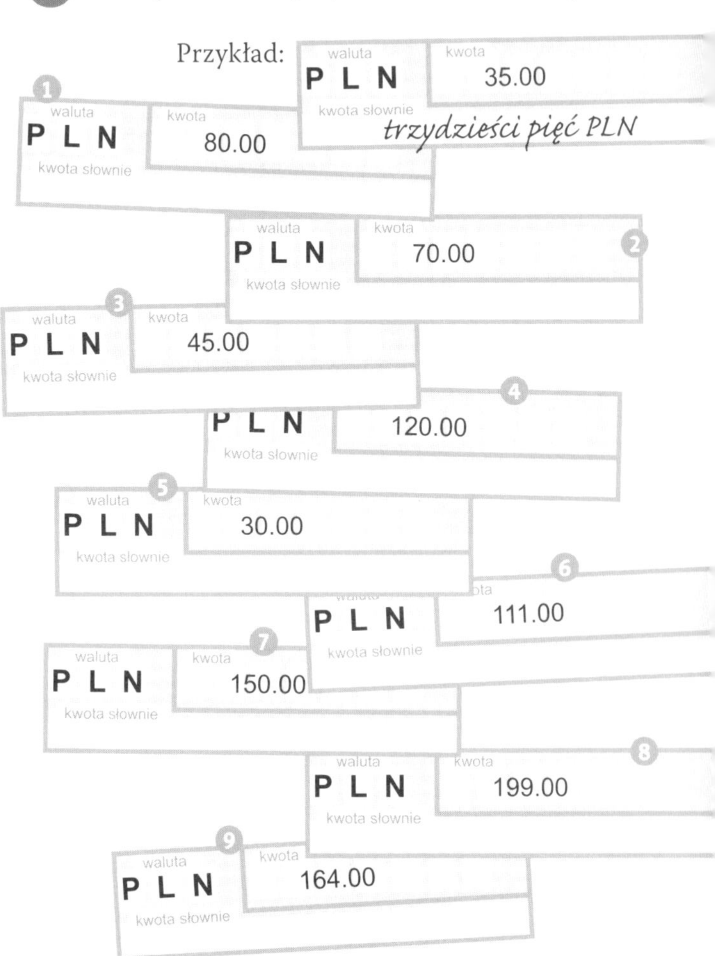

5 Kim on / ona jest z zawodu? Proszę dopasować słowa do zdań.

pisarz dziennikarka nauczyciel aktorka gospodyni domowa urzędnik ✓kelner

Przykład: On pracuje w restauracji. – ......kelner......

1. On pracuje w szkole. – ....
2. Ona pisze artykuły do gazety. – ....
3. On pisze książki. – ....
4. Ona pracuje w domu. – ....
5. On pracuje w biurze. – ....
6. Ona gra w filmach. – ....

6

Paweł ....

A. Proszę uzupełnić tekst.

Mam na imię Paweł, mam 25 lat, jestem ...studentem..... i studiuję w Krakowie na uniwersytecie. Moja siostra ma na imię Katarzyna. Ma 32 lata i jest świetną nauczycielką. Pracuje w szkole języków obcych. Nasza .... ma na imię Anna. Ona ma 54 lata i jest dobrą .... Pracuje w szpitalu. Nasz ojciec ma na imię Jerzy, ma 57 lat, jest świetnym architektem i ma prywatną .... Mój ojciec ma brata. On ma na imię Bogdan. Wujek Bogdan ma 50 lat i jest inżynierem. Mieszka i .... w Warszawie. Wujek Bogdan ma żonę. Ona ma na imię Maria. Ciocia Maria ma 45 lat, jest dentystką i ma .... gabinet. Oni mają jedno dziecko. Mój kuzyn ma na imię Mariusz, ma 17 lat, jest uczniem i chodzi do liceum w Warszawie. Nasza babcia ma na imię Alina, ma 76 lat i jest .... Nasz dziadek też jest emerytem. On ma na imię Jan i ma 79 lat.

CD B. Proszę posłuchać nagrania i sprawdzić swoje odpowiedzi.

C. Proszę uzupełnić tabelę:

Imię	Ile ma lat?	Kto to jest?	Kim on / ona jest?	Gdzie pracuje / studiuje?
	25			
			świetnym architektem	
		siostra		
				w Warszawie
Jan				
	76			
		kuzyn		
Anna				
				ma prywatny gabinet

D. Proszę podpisać imionami osoby przedstawione na rysunku.

Gramatyka

7 Proszę uzupełnić zdania (biernik).

Przykład: Mam ......rodzinę... (rodzina)

1. (ja) Mam ....(brat i siostra).
2. On ma .... (auto).
3. Ona lubi .... (język polski).
4. Lubię .... (włoska kawa).
5. Ona ma .... (małe dziecko).
6. On czyta .... (gazeta).
7. Paparazzi fotografuje .... (popularna aktorka).
8. Oni studiują .... (ekonomia).
9. Ona tańczy .... (tango).
10. Czy (wy) lubicie .... (sport)?

8 Proszę zapytać o podkreślone słowa, używając słów: Kogo? Co? Jaki? Jaką? Jakie?

Przykład: Mam auto. ....Co.... masz?

1. Lubię Martę. .... lubisz?
2. Znam pana Nowaka. .... znasz?
3. Lubię wino. .... lubisz?
4. Mam duży dom. .... masz dom?
5. Lubię dobrą kawę. .... kawę lubisz?
6. Mam małe dziecko. .... masz dziecko?

9a Proszę wybrać odpowiednią formę (mianownik, narzędnik lub biernik).

Przykład: Ten dom jest nowy / nowa / nowego.

1. Ten samochód jest stary / stara/ stare.
2. Moja rodzina jest duży / duża / duże.
3. Ona jest sympatyczna / sympatyczną kobietą.
4. Oni są dobry / dobre / dobrymi rodzicami (l.mn.).
5. Mam małego / mały / małej psa.
6. Lubię angielska / angielską literaturę.
7. Znam tego wysokim / wysokiego/ wysoka mężczyznę.
8. Mam wysoki / wysokiego / wysokim wujka.
9. Krzyś jest mały / małym / małe dzieckiem.
10. Żywiec to polskie / polska / polskiego piwo.

CD 9b Proszę posłuchać poprawnych odpowiedzi z ćwiczenia 9a i powtórzyć je na głos.

10 Proszę wybrać odpowiednią formę.

Przykład: On jest...
a) dobrym ojcem b) dobry ojciec c) dobrą ojcą

1. Ona ma...
   a) małego brat b) małym bratem c) małego brata
2. On ma...
   a) jeden babciego b) jeden babcia c) jedną babcię
3. Ona ma 14...
   a) rok b) lat c) lata
4. Moja matka ma 42...
   a) rok b) lat c) lata
5. ... matka mieszka w Krakowie.
   a) Moja b) Mój c) Nasz
6. Ewa interesuje się...
   a) muzyka b) muzykiem c) muzyką
7. Mówię dobrze...
   a) po angielsku b) angielski b) angielską
8. Jestem bardzo...
   a) ambitnym b) ambitny c) ambitną
9. Skąd...?
   a) być b) jestemy c) jesteś
10. Znam dobrze...
   a) angielski b) po angielsku c) angielskiego

11* **Proszę przeczytać tekst i zdecydować, gdzie na obrazku są te osoby.**

Mam na imię Marek, mam 20 lat i studiuję architekturę. Mam bardzo dużą rodzinę. Mój tata jest na prawo. On ma na imię Wiesław, ma 49 lat i jest architektem. Obok mojego taty jest moja mama. Ma na imię Anna, ma 45 lat i jest bardzo ładna. Moja mama pracuje w szpitalu – jest lekarką. Obok mamy jest jej siostra Maria. Ona ma 35 lat i jest gospodynią domową. Obok cioci są jej dzieci, Krzyś (8 lat) i Ala (7 lat). Obok Ali siedzi jej tata – wujek Maciek. Jest policjantem.

Na lewo są moi dziadkowie – moja babcia Marta i dziadek Marcin. Oni mają po 75 lat i już nie pracują. Są emerytami.

Słownictwo

12 **Proszę dopasować zdania z kolumny 1 – 5 do zdań z kolumny a – e (styl oficjalny i nieoficjalny).**

STYL NIEOFICJALNY	STYL OFICJALNY
1. Jak się nazywa twoja matka?	a) Ile pan / pani ma lat?
2. Gdzie mieszka twoja rodzina?	b) Gdzie mieszka pana / pani rodzina?
3. Czym się interesuje twój syn?	c) Jak się nazywa pana / pani matka?
4. Kim jest twój ojciec?	d) Kim jest pana / pani ojciec?
5. Ile masz lat?	e) Czym się interesuje pana / pani syn?

lekcja 5

Co lubisz robić?

Słownictwo

1 Które słowo nie pasuje do pozostałych i dlaczego?

Przykład: muzeum – kino – teatr – ~~sport~~
1. słuchać – śpiewać – tańczyć – czytać
2. biegać – oglądać telewizję – pływać – jeździć na rowerze
3. grać na gitarze – podróżować samochodem – jeździć na rowerze – jeździć taksówką
4. książka – gazeta – zdjęcie – magazyn
5. telewizja – film – kawiarnia – kino

CD **2 Proszę uzupełnić zdania, posłuchać nagrania i sprawdzić swoje odpowiedzi.**

Przykład: Marek bardzo lubi ...*podróżować*..... po Europie.
1. Czy lubicie .... do teatru?
2. Lubię .... w tenisa.
3. Czy lubisz .... muzyki klasycznej?
4. Małgorzata lubi .... książki kryminalne.
5. Mój znajomy lubi czytać ...., szczególnie „Rzeczpospolitą".
6. Lubię chodzić do .... – na przykład do Teatru Starego.
7. Magda i Angieszka lubią uprawiać .... – lubią jeździć na ....
8. Mój przyjaciel lubi .... – na przykład walca.
9. Barbara lubi .... z kolegami.
10. Andrzej lubi .... telewizję.

3 Proszę napisać zdanie o znaczeniu przeciwnym.

Przykład: **Nigdy nie** chodzimy do kina. ≠ ......*Zawsze chodzimy do kina.*..............
1. **Często** uprawiam sport. ≠ ....
2. **Zwykle** w weekendy słucham muzyki. ≠ ....
3. Profesor **zawsze** mówi wolno. ≠ ....
4. Andrzej **rzadko** dzwoni do koleżanki z liceum. ≠ ....
5. **Nigdy nie** biegam w weekendy. ≠ ....

Gramatyka RZECZOWNIK

4 Proszę wpisać formy biernika lub narzędnika.

Przykład: On lubi ....*polski boks*......... (polski boks).

1. On interesuje się .... (francuski sport).
2. Bardzo lubię .... (niemiecka ekonomia).
3. Ona lubi .... (wino i sałatka grecka).
4. Lubisz .... (muzyka klasyczna)?
5. Interesujesz się .... (muzyka hiszpańska)?
6. Mam .... (interesująca książka).
7. Czytam .... (kolorowy magazyn).
8. Oni czytają .... (aktualna gazeta).
9. Oni interesują się .... (literatura angielska).
10. Lubisz .... (kawa)?
11. Masz .... (dobry samochód)?
12. Interesujesz się .... (filozofia)?

Słownictwo

CD 5 Proszę wybrać właściwe słowo, posłuchać nagrania i sprawdzić swoje odpowiedzi.

ekonomię ✓polityką sportem oglądać grać kulturą czytać język sport jeździć

1. Anna lubi czytać gazety – interesuje się ....*polityką*..... . Oczywiście lubi też .... telewizję – na przykład wiadomości.
2. Mariusz lubi .... Lubi .... czasopisma ekonomiczne.
3. Wojtek interesuje się .... hiszpańską. Lubi .... hiszpański.
4. Agnieszka bardzo lubi .... w tenisa – lubi ....
5. Katarzyna lubi .... na nartach. Interesuje się ....

Gramatyka PRZYIMEK

CD 6 Proszę wpisać właściwy przyimek, posłuchać nagrania i sprawdzić swoje odpowiedzi.

Przykład: Mój wujek lubi grać ....*w*... tenisa.

1. Lubimy podróżować .... Europie.
2. Grażyna świetnie gra .... saksofonie.
3. Andrzej rzadko spotyka się .... rodzicami.
4. Czy twój ojciec lubi chodzić .... teatru?
5. Czy lubisz chodzić .... dyskotekę?
6. Moja matka świetnie gra .... gitarze.
7. Często spotykam się .... kolegami.
8. Często chodzimy .... restauracji.
9. Nie umiem grać .... karty.
10. Czy lubisz chodzić .... teatru?

CZASOWNIK

7 Proszę wpisać właściwą formę czasownika.

A. *-ować*

Przykład: Samolot ....*ląduje*..... . (lądować)

1. Dwa samoloty .... (lądować)
2. Marek .... samochód. (parkować)
3. Dwa samochody .... (parkować)
4. Co (ty) ....? (studiować)
5. Czym ona ....? (interesować się)
6. Gdzie (wy) ....? (pracować)
7. (my) .... w Bytomiu. (pracować)
8. Codziennie (my) .... w Internecie. (surfować)
9. Maria rzadko .... (mailować)
10. (ja) .... historią. (interesować się)

B. *-m, -sz*

1. (ja) .... interesującą książkę. (czytać)
2. Jak często (ty)...................... w restauracji? (jeść)
3. On .... (pływać)
4. (my) .... muzyki. (słuchać)
5. One pięknie .... (śpiewać)
6. Czy (wy) ....? (biegać)
7. Oni .... w tenisa. (grać)
8. Czy (ty) .... na gitarze? (grać)
9. Czy (wy) .... w piłkę nożną? (grać)
10. Jak często (ty) .... telewizję? (oglądać)

C. *-ę, -isz*

1. Czy (ty) .... chodzić do kina? (lubić)
2. (ja) .... słabo po polsku. (mówić)
3. Czy (wy) .... po rosyjsku? (mówić)
4. Oni .... pływać. (lubić)

8 Proszę wpisać właściwą formę czasownika.

A.

Przykład: Marek i Wojtek ....*studiują*.... w Krakowie. (studiować)

1. (ja) .... artykuł. (pisać)
2. One .... regularnie na kurs francuskiego. (chodzić)
3. Czy pan .... pracować we Wrocławiu? (chcieć)
4. Czy (wy) .... sport? (lubić)
5. (ty) .... problem? (mieć)
6. Czy pani .... po niemiecku? (mówić)
7. Uczeń .... do szkoły. (chodzić)
8. Oni świetnie .... sambę. (tańczyć)
9. Czy (ty) .... w Krakowie? (studiować)
10. Gdzie (ty) .... ? (mieszkać)
11. (ja) .... języka polskiego. (uczyć się)
12. Czy (wy) .... na kurs polskiego? (chodzić)
13. Oni świetnie .... po polsku. (mówić)
14. On .... książkę. (pisać)
15. Anna .... europeistykę. (studiować)

B.

1. Oni .... na dyskotece. (tańczyć)
2. (my) .... duży dom. (mieć)
3. Czy Paweł .... w Warszawie? (pracować)
4. Teraz (ja) nie .... słuchać muzyki. (chcieć)
5. Czy (wy) .... literaturą? (interesować się)
6. Czy pan .... mówić trochę wolniej? (móc)
7. Oni .... w pokoju. (być)
8. Czy (wy) .... po angielsku? (czytać)
9. Czy (ty) .... języka polskiego? (uczyć się)
10. Wojtek i Ania .... zadanie domowe. (robić)
11. Czy (ty) .... dobrze język polski? (znać)
12. (oni) ...., że to jest bez sensu. (wiedzieć)
13. (ja) ...., ale nie .... (przepraszać / rozumieć)
14. Czy (ty) .... mówić wolniej? (móc)
15. (ja) .... studiować ekonomię. (chcieć)

lekcja 6

Proszę rachunek.

Słownictwo

1 Jaka to liczba?

a) 240	1. trzysta czterdzieści dziewięć
b) 785	2. czterysta sześćdziesiąt sześć
c) 1703	3. tysiąc siedemset trzy
d) 349	4. dwieście czterdzieści
e) 466	5. siedemset osiemdziesiąt pięć
f) 1553	6. sześćset dwadzieścia
g) 917	7. tysiąc dwieście
h) 620	8. tysiąc pięćset pięćdziesiąt trzy
i) 812	9. osiemset dwanaście
j) 1200	10. dziewięćset siedemnaście

Ortografia

2 Jaka to liczba?

Przykład: dwieście/piętnaście

a) trzystajedenaście

b) siedemsetdwadzieściadwa

c) pięćsetosiemdziesiątdziewięć

d) tysiącsześćsetpięćdziesiąt

3 Proszę pogrupować słowa:

chleb pomarańcza bułka masło kapusta herbata ✓mleko cebula wino piwo ziemniaki sałata ogórek kurczak woda mineralna lody ciasto banan jabłko pomidor cytryna

napoje – mleko, ...

....

owoce – ....

....

warzywa – ....

....

inne – ....

....

Ortografia

4 Gdzie są słowa? (6)

adrte**herbata**piooklekotletbnejzupakhpomidorowamwidoziemniakiaacniekurczakfdyfrytki

5a Proszę uzupełnić dialog *W kawiarni* odpowiednimi słowami z ramki.

mała wolno ✓państwa pomarańczowy mnie dla ciebie czy małe

W KAWIARNI

Kelner: Proszę? Co dla ...państwa...?

Marek: Co ....?

Basia: Dla mnie zimny sok .... i .... kawa.

Kelner: Kawa biała .... czarna?

Basia: Biała i jakieś dobre ciastko.

Kelner: A co dla pana?

Marek: Dla .... piwo.

Kelner: Duże czy ....?

Marek: Duże. I lody owocowe.

Kelner: Proszę.

Marek: Przepraszam, czy .... tu palić?

Kelner: Tak.

CD

5b Proszę posłuchać dialogu z ćwiczenia 5a i sprawdzić poprawność wpisanych słów.

6 Proszę posłuchać dialogu w pizzerii, a następnie odpowiedzieć, jaką pizzę zamawia klient.

Proponujemy	MAŁA (25 cm)	ŚREDNIA (35 cm)	DUŻA (42 cm)
Margherita sos pomidorowy, ser, oliwki, przyprawy	11,50	12,50	13,40
Salami sos pomidorowy, ser, salami, przyprawy	12,60	13,70	15,20
Hawajska sos pomidorowy, ser, szynka, ananas, przyprawy	13,10	14,90	16,80
Capricciosa sos pomidorowy, ser, pieczarki, szynka, papryka, przyprawy	12,30	14,30	17,20
Wegetariana sos pomidorowy, ser, pieczarki, papryka, pomidor, ogórek, cebula, przyprawy	13,50	14,30	17,40
Prima sos pomidorowy, ser, pieczarki, kurczak, oliwki, kukurydza, przyprawy	14,60	15,90	18,90
Frutti di Mare sos pomidorowy, ser, owoce morza, przyprawy	14,60	15,90	18,90

Napoje		
	Coca-Cola, Fanta, Sprite	4,00
	Bonaqua	3,00

Gramatyka

7 Proszę uzupełnić tabelę.

jeść				pić			
ja	*jem*	my		ja		my	*pijemy*
ty		wy	*jecie*	ty	*pijesz*	wy	
on, ona, ono	*je*	oni, one		on, ona, ono		oni, one	*piją*

8 Proszę ułożyć zdania.

Przykład: Kasia – jeść – jabłko *Kasia je jabłko.*

1. oglądać – studentka – dobry film ....
2. my – czytać – książka – dobra ....
3. mój – z – cytryna – pić – ojciec – herbata ....
4. czy – jeszcze – coś? ....
5. reszta – pani – dla ....
6. śniadanie – ja – jeść – na – żółty – ser ....
7. picia – do – co? ....
8. deser – na – co? ....
9. do kolacji – ja – pić – kawa – bez cukru ....
10. mineralna – woda – ja – prosić ....
11. e-mail – ty – mieć – jaki? ....

9 Biernik czy narzędnik?

Przykład: Proszę ....*duże piwo*.... (duże piwo).
1. Hans jest .... (Niemiec), a Helga jest .... (Niemka).
2. Marek jest .... (Polak), a Anna jest .... (Polka).
3. Sophia Loren jest .... (włoska aktorka).
4. Proszę .... (mała kawa).
5. Marek pije .... z .... (herbata / cytryna).
6. Anna pije .... z .... (sok pomarańczowy / lód).
7. Proszę .... z .... (kawa / mleko).
8. Jem .... z .... (bułka / szynka).
9. Piję .... z .... (woda mineralna / cytryna).

10 Proszę napisać pytania, używając słów: Kogo? / Co?

Przykład: Kasia ma brylant. ....*Co ona ma*........?
1. Mama zna mojego profesora. ....?
2. Dziewczyna lubi studenta. ....?
3. Piotr pije sok. ....?
4. Ten pan czyta gazetę. ....?
5. Ja mam kota. ....?

11 Proszę napisać pytania, używając słów: Jaki? / Jakiego? / Jaką? / Jakie?

Przykład: Mama zna miłego pana. ....*Jakiego pana zna mama*........?
1. Lubię włoską kawę. ....?
2. Piotr ma nowe auto. ....?
3. Jem ser żółty. ....?
4. Kupuję duży chleb. ....?
5. Lubię tego dużego psa. ....?
6. Mam nowy telewizor. ....?

12 Złote – złotych, grosze – groszy?

Przykład: 25,30 zł – *25 złotych 30 groszy*
1. 14,15 zł – ....
2. 52,24 zł – ....
3. 7,43 zł – ....
4. 72,02 zł – ....
5. 21,50 zł – ....
6. 13,70 zł – ....

Wymowa

CD

13 Proszę posłuchać nagrania, a następnie na głos powtórzyć słowa:

kasa – Kasia
wieczorem – wczoraj – wcześnie
pięć – pięść
sześć – cześć
dwanaście – dwadzieścia
trzynaście – trzydzieści
czternaście – czterdzieści
piętnaście – pięćdziesiąt
szesnaście – sześćdziesiąt
siedemnaście – siedemdziesiąt
osiemnaście – osiemdziesiąt
dziewiętnaście – dziewięćdziesiąt

lekcja 7

Zwykle nic nie robię.

Słownictwo

1 Jakie są tu słowa, czasowniki i rzeczowniki poziomo → i pionowo ↓?

S	U	I	O	S	P	A	Ć	Ą
P	W	P	L	I	R	T	L	G
A	W	R	A	C	A	Ć	H	K
C	O	Y	Ó	Ę	C	Y	T	Ą
E	B	S	O	B	O	T	A	Ę
R	T	Z	E	R	W	Ó	K	Ó
R	T	N	Y	A	A	Ó	S	**U**
P	J	I	U	Ć	Ć	Ó	Ó	**M**
L	K	C	G	F	D	U	W	**I**
S	Z	Ś	Ź	Ć	Ż	H	K	**E**
R	O	Z	M	A	W	I	A	**Ć**

Gramatyka

CD **2** Proszę napisać, która jest godzina, posłuchać nagrania i sprawdzić swoje odpowiedzi.

	oficjalnie	nieoficjalnie
Przykład: Jest 14:15	*czternasta piętnaście*	*piętnaście po drugiej / kwadrans po drugiej*
1. Jest 13:20	....	....
2. Jest 5:30	....	....
3. Jest 16:00	....	....
4. Jest 21:30	....	....
5. Jest 21:15	....	....
6. Jest 14:45	....	....
7. Jest 20:25	....	....
8. Jest 13:05	....	....
9. Jest 15:30	....	....
10. Jest 23:35	....	....
11. Jest 17:40	....	....
12. Jest 18:00	....	....
13. Jest 8:45	....	....
14. Jest 19:30	....	....
15. Jest 20:10	....	....

3 Proszę wpisać właściwe dni tygodnia.

Przykład: Między sobotą a poniedziałkiem jest ...niedziela.
1. Między środą a piątkiem jest ....
2. Piąty dzień tygodnia to ....
3. Czwarty dzień tygodnia to ....
4. Przed poniedziałkiem jest ....
5. Przed niedzielą jest ....
6. Między poniedziałkiem a środą jest ....
7. Przed wtorkiem jest ....
8. Między wtorkiem a czwartkiem jest ....
9. Nie pracuję w ....

4 Kiedy Pan / Pani to robi? Rano, przed południem, w południe itd.?

Przykład: Budzę się ......rano......... .
1. Jem kolację ....
2. Robię zakupy ....
3. Spotykam się ze znajomymi ....
4. Jem obiad ....
5. Jem śniadanie ....
6. Godzina dwunasta jest ....
7. Godzina dwudziesta czwarta jest ....
8. Godzina siedemnasta jest ....
9. Idę spać ....
10. Zwykle piszę maile ....

5 Proszę uzupełnić zdania podanymi słowami.

codziennie zakupy telefon prysznic się zęby telewizję wstaję taksówką kina ✓książkę czekam

Przykład: Po południu często czytam ...książkę.... .
1. Marek zawsze bardzo długo myje ....
2. Marta robi ....
3. Rano szybko biorę ....
4. Andrzej zwykle długo rozmawia przez ....
5. Lubię oglądać ...., ale lubię też chodzić do ....
6. Wieczorem zawsze wracamy do domu ....
7. Zwykle najpierw .... ubieram, a potem jem śniadanie.
8. Najpierw budzę się, a potem ....
9. Na przystanku tramwajowym .... na tramwaj.
10. .... uczę się polskiego!

Gramatyka **CZASOWNIK**

lekcja 7

6 **Proszę wpisać właściwą formę czasownika.**

A.

Przykład: Najpierw wstaję, a potem ...*biorę*... prysznic. (brać)

1. (ty) .... kredyt na dom? (brać)
2. On zawsze bardzo krótko .... – tylko 5 – 6 godzin. (spać)
3. W niedzielę zawsze (ja) .... do dziesiątej. (spać)
4. W weekend (my) .... na wycieczkę do Zakopanego. (jechać)
5. (wy) .... dzisiaj z nami do kina? (iść)
6. Do której godziny (ty) .... w sobotę? (spać)
7. Pan Wojtasiński .... jutro na konferencję do Szczecina. (jechać)
8. Jutro (ja) .... do muzeum – jest interesująca wystawa. (iść)
9. Andrzej .... zawsze bardzo długo. (myć się)
10. Czy (wy) .... kredyt na samochód? (brać)

B. spotykać się z / spotykać

Przykład: Lubię ......*spotykać się z*...... kolegami z liceum.

1. Często (ja) .... tego mężczyznę w parku.
2. Nigdy cię nie (ja) .... na uniwersytecie! Nie studiujesz już?
3. W piątki zawsze (my) .... znajomymi w klubie „Gloria".
4. Wiem, że Agata pracuje w centrum, bo często ją tam ....
5. Czy Andrzej często .... Anią?

C. iść / chodzić // jechać / jeździć

Przykład: Zwykle ..*jeżdżę*.. tramwajem do centrum miasta, ale dzisiaj ....*jadę*...... autobusem.

1. Zawsze, kiedy jest ładnie, Wojtek .... do pracy rowerem albo .... pieszo. Dzisiaj też .... pieszo.
2. Lubię .... samochodem, ale często .... też pieszo.
3. Codziennie (my) .... tramwajem do pracy.
4. Zwykle (ja) .... do szkoły pieszo, ale dzisiaj .... taksówką.
5. Zwykle pan Marian .... na spacer wieczorem, ale dzisiaj .... po południu.
6. Nie umiem .... na nartach.
7. (wy) Często .... do kina?
8. Andrzej i Ania rzadko .... taksówką, ale dzisiaj ....
9. Nigdy nie (ja) .... na spacer po jedenastej wieczorem.
10. Zawsze (my) .... do Warszawy pociągiem, ale teraz .... samochodem.

D. umieć / wiedzieć / znać

Przykład: Rafał ......*zna*........ świetnie hiszpański.

1. (ja) .... trochę język polski.
2. Czy .... pan grać na gitarze?
3. (ja) .... mówić trochę po polsku.
4. (ja) ...., że Warszawa jest stolicą Polski.
5. Czy (ty) .... grać w tenisa?
6. Czy (wy) .... Marka Kętrzyńskiego?
7. Czy (wy) .... dobrze gotować?
8. Helena .... trzy języki obce: angielski, portugalski i bułgarski.
9. Andrzej ...., że Ania go lubi.
10. Ania nie ...., gdzie mieszka siostra Andrzeja.
11. (ty) ...., kiedy jest test z polskiego?
12. Weronika i Justyna nie ...., gdzie jest klub „Pauza".

E. Co robimy najpierw, a co potem?

Przykład: (ty) / iść do restauracji / jeść obiad ....*Najpierw idziesz do restauracji, a potem jesz obiad.*....

1. one / biegać / brać prysznic ....
2. (ja) / iść spać / czytać książkę ....
3. (ja) / kupować książkę / czytać ....
4. on / robić zdjęcia / oglądać zdjęcia ....
5. on / wstawać / spać ....
6. (my) / pić kawę / iść do kawiarni ....
7. (ty) / oglądać film / kupować bilet ....

PRZYIMKI

7 **Proszę uzupełnić zdania podanymi słowami.**

z ze ze ~~na~~ na na do do do przez w w we przed po o

Przykład: Idziesz dzisiaj ....*na*..... dyskotekę?

1. Często spotykam się .... przyjaciółmi. Chodzimy razem .... spacer albo .... kina.
2. .... wtorek idę .... znajomymi .... koncert.
3. Lubisz rozmawiać .... mną .... telefon?
4. .... pracy jeżdżę taksówką.
5. Często chodzę spać .... północy.
6. Marcin jest policjantem i czasem pracuje .... nocy.
7. .... poniedziałek .... południem mamy test z polskiego.
8. .... południu idziemy .... muzeum.

lekcja **7**

ZAIMKI OSOBOWE

8 Proszę wpisać zaimek osobowy w narzędniku.

Przykład: Lubisz pracować z Martą? Nie, nie lubię z ..*nią*.. pracować.
1. Mieszkasz z Adamem? Nie, już z .... nie mieszkam.
2. Znasz język polski? Tak, bardzo się .... interesuję.
3. Lubicie pracować ze ....? Oczywiście, że lubimy z tobą pracować.
4. Czy on mieszka z Moniką? Tak, mieszka z ....
5. Nie wiem, czy oni lubią ze mną pracować.Tak, mówią, że lubią z .... pracować.
6. Lubicie z nami pracować? Oczywiście, że lubimy z .... pracować!
7. Czy Rudzki mieszka z Nowacką? Nie, już z .... nie mieszka.
8. Czy ta firma interesuje się inwestycjami europejskimi? Tak, bardzo się .... interesuje.
9. Czy pan Kornecki pracuje z panem Ropczyńskim? Tak, pracuje z ....
10. Nie wiem, czy oni lubią z .... rozmawiać. Tak, oczywiście, że lubią z wami rozmawiać!

CD **9a Proszę posłuchać nagrania i uzupełnić tekst *Mój dzień*.**

Jak wygląda mój dzień? ...*Codziennie*... budzę się o wpół do siódmej, ale .... dopiero o siódmej. A nie, przepraszam, nie codziennie – w weekendy zawsze śpię długo – do dziewiątej albo .... Biorę ...., myję zęby i robię kawę. Robię też krótką gimnastykę. Potem .... kawę i planuję .... Śniadanie jem nie w domu, ale w pracy. Zawsze .... kanapkę w małym sklepie spożywczym blisko mojej pracy. Do pracy zwykle .... tramwajem. Od czasu do czasu, na przykład kiedy jestem ...., jeżdżę taksówką. Jestem asystentką dyrektora i w pracy dużo .... i .... przez telefon. Zawsze w południe .... krótką przerwę. Zwykle .... do baru, który jest blisko – kupuję tam sałatkę albo barszcz czerwony. Wracam do domu po południu. Zwykle jestem w domu koło ...., czasem o wpół do szóstej. Po południu trochę .... albo czytam gazetę. We wtorki zawsze chodzę pływać z przyjaciółką. Bardzo lubię rozmawiać przez telefon ze znajomymi. Czasem rozmawiam bardzo długo – dwie albo trzy godziny i jest już .... Wieczorem chodzę na spacer z ...., który mieszka blisko mnie. Czasem .... też razem. Zwykle chodzę .... około jedenastej, no, może .... dwunastej.

Słownictwo

9b Wymienione w tekście godziny proszę zamienić ze stylu nieoficjalnego na oficjalny tam, gdzie są zmiany. Proszę napisać, ile razy i w jakich sytuacjach nic się nie zmienia.

Przykład: ..*o wpół do siódmej > o szóstej trzydzieści*..

....

9c Proszę napisać 6 pytań do tekstu z ćw. 9a.

1. ....
2. ....
3. ....
4. ....
5. ....
6. ....

10 Proszę napisać tekst pt. *Mój dzień* (przynajmniej 12 zdań). Proszę użyć następujących słów: *zwykle, często, rzadko, rano, przed południem, w południe, po południu, wieczorem, w nocy*.

lekcja

8 Może pójdziemy do kina?

Słownictwo

1 Proszę uzupełnić dialogi.

1) W informacji PKP:
– Dzień dobry.
– ...Dzień dobry... .
– O której jest .... pospieszny ...... Wrocławia?
– O 17:30.
– A .... bilet?
– 37,50.

2) Pomyłka:
– Czy to .... 0-12 564-22-78?
– Nie, to .... To numer 0-12 564-22-87.
– O, ...

3) Zamawia Pan / Pani taksówkę:
– Taxi AUTO, słucham.
– Proszę .... na .... Krajową 7.
– ....?
– 0-22 122-23-45.
– Za 5 minut będzie opel kombi.
– Dziękuję.

4) Zamawia Pan / Pani budzenie:
– Dobry ....
– Dobry wieczór. Proszę mnie .... o 7:00.
– Proszę bardzo.

2 Proszę pogrupować frazy.

✓Halo! Pa! Słucham. Proszę. Nie ma za co. Gdzie? Proszę powtórzyć! Co mówisz? Kto? Kiedy? Nie rozumiem. Pomyłka. Do widzenia.

A. Pierwszy kontakt	B. Koniec rozmowy	C. Problemy z komunikacją
Halo!		

Ortografia

3 Proszę wpisać brakujące litery.

Przykład: poci.....g ą
1. Prosz ..... bilet w przedziale dla niepal ..... cych, na pociąg e .... presowy.
2. Mo ..... e p ..... jdziemy do kina w poniedzia ..... ek?
3. Zwykle wracamy do domu o pi ..... tnastej. Pan Gruber je kolacj ..... w japo ..... skiej restauracji.
4. Jurek ..... hce przyjecha ..... do Poznania w ..... rodę.
5. O kt ..... rej macie czas?

4a Wojtek i Jacek umawiają się na spotkanie. Proszę ułożyć dialog w odpowiedniej kolejności.

..1.. – Słucham.
..2.. – Cześć Jacek, tu Wojtek.
..... – Świetnie.
..... – A, cześć. Co słychać?
..... – To gdzie się spotkamy?
..... – Jasne! Bardzo ich lubię. Kiedy?
..... – Cześć.
..... – W tę sobotę.
..... – O której?
..... – O ósmej.
..... – Dobrze. Pa!
..... – Przed klubem za piętnaście ósma.
..... – W porządku. Dzwonię, bo mam dwa bilety na koncert Myslovitz w klubie „Rock cafe". Może chcesz pójść?

CD **4b** **Proszę posłuchać dialogu z ćwiczenia 4a i sprawdzić kolejność zdań.**

Gramatyka

lekcja 8

5 **Proszę uzupełnić zdania przyimkami: *do, z, o, za, do, od, na, w.***

Przykład: Idę ..*na*.. kawę ..*do*.. kawiarni.

1. Jadę ...... Gdańska.
2. Mam bilety ...... koncert.
3. Wracam do domu .... piętnaście szósta.
4. Mam przerwę ...... wpół ...... drugiej.
5. Pracuję .... 9:00 .... 17:00.
6. Krzysztof idzie ..... Moniką .... kina .... premierę.
7. .... sobotę zwykle odpoczywam.
8. ..... której masz czas?

6 **Proszę ułożyć zdania.**

Przykład: może – do – pójdziemy – kina? ....*Może pójdziemy do kina?*..........

1. której – masz – o – czas?

   ....

2. się – gdzie – spotkamy?

   ....

3. której – o – pociąg – do – jest – Krakowa?

   ....

4. na – bilet – pociąg – normalny – pospieszny – proszę – do – Warszawy.

   ....

5. ale – czasu – przepraszam, – mam – nie.

   ....

6. może – do – pójdziemy – kawiarni – na – kawę?

   ....

7. czy – w – o – ma – pani – czas – piątek – siedemnastej?

   ....

8. lubię – nie – wina – czerwonego.

   ....

9. robisz – co – po – dziś – południu?

   ....

10. dziękuję, – porządku – wszystko – w.

   ....

7 Podane rzeczowniki proszę wpisać w odpowiedniej formie (biernik / dopełniacz).

Czy lubisz...?	Tak, lubię...	Nie, nie lubię...
kawa	*kawę*	*kawy*
mleko		
sałata		
masło		
chleb		
szynka		
wino		
ser żółty		
ryż		

8 Proszę uzupełnić zdania.

Przykład: Lubię kaw.*ę*.., nie lubię herbat.*y*.. .
Nie interesuję się sport*em*. Interesuję się muzyk..*ą*. .

1. – Lubisz mlek.....?
   – Nie, nie lubię pić mlek......, wolę herbatę.
2. – Marcin jest student......?
   – Nie, już nie jest student..... . Teraz pracuje.
3. – Znasz pani.... Małgosi....?
   – Myślę, że znam pani.... Małgosi.... . Jest kuzynk... mojego kolegi.
4. – Znasz pani..... Sylwi....?
   – Nie, nie znam pani... Sylwi... . A kim ona jest?
5. – Pijesz kaw.... z cukr....?
   – Piję tylko kaw..... bez cukr..... .
6. – Masz brat...?
   – Nie, nie mam brat....... .
7. – Jecie śniadani... o 9.00?
   – Nie, nigdy nie jemy śniadani.... o 9.00, ale zawsze o 8.00.
8. – Masz spotkani....... z klient..... o 14.00?
   – Nie, nie mam spotkani.... dzisiaj.

Wymowa

CD 9 Proszę posłuchać, a następnie przeczytać na głos:

1. Co proponujesz?
2. Gdzie się spotkamy?
3. Czy masz czas we wtorek?
4. O której jest pociąg pospieszny do Przemyśla?
5. Czy masz czas o trzeciej?

Wymowa

Co Pan / Pani słyszy: *-y* czy *-ę*? Proszę podkreślić słowa mówione przez lektora.

kawy – kawę
wody – wodę
Wisły – Wisłę
lampy – lampę
herbaty – herbatę

Proszę przeczytać na głos wszystkie słowa.

lekcja

Robimy zakupy.

Słownictwo

1a Proszę napisać właściwą nazwę sklepu.

Przykład: Tam kupujemy książki – ......*księgarnia*....... .
1. Tam kupujemy kwiaty – ....
2. Tam kupujemy ubrania – ....
3. Tam kupujemy programy komputerowe i gry – ....
4. Tam kupujemy aspirynę i syrop – ....
5. Tam kupujemy okulary – ....
6. Tam kupujemy sandały – ....

1b Które słowo nie pasuje do innych?

Przykład: niebieski – zielony – biały – ~~but~~
1. spódnica – krawat – sukienka – bluzka
2. spodnie – koszula – marynarka – podkoszulek
3. elegancki – kurtka – drogi – modny
4. dżinsy – sweter – spodnie – szorty
5. buty – adidasy – kostium – sandały

1c Proszę uzupełnić tabelkę.

duży, -a, -e	mały, -a, -e
większy, -a, -e	
	najmniejszy, -a, -e
drogi, -a, -ie	
droższy, -a, -e	tańszy, -a, -e
	najtańszy, -a, -e

1d Proszę połączyć ze sobą odpowiednie słowa z kolumn:

1. czarna	a) ręcznie
2. prać	b) jak słońce
3. jasne	c) drogi
4. czerwony	d) owca
5. za	e) jak burak

Gramatyka

2a Proszę wpisać słowa w odpowiednie miejsca tabeli i w odpowiedniej formie.

mleko masło ✓ser kurczak wino
chleb piwo ziemniak szynka pizza
herbata banan jabłko pomidor

kilogram	butelka
sera	

litr	paczka	kawałek
		sera

2b **Proszę uzupełnić odpowiednimi formami dopełniacza liczby mnogiej.**

Nie lubię / nie noszę:

0. niebieska spódnica ...niebieskich spódnic...
1. sportowy but ....
2. szerokie spodnie ....
3. biała bluzka ....
4. kolorowy podkoszulek ....

Nie lubię / nie jem:

5. ogórek ....
6. ziemniak ....
7. pomidor ....
8. ryba ....
9. jabłko ....
10. jajko ....
11. banan ....

3a **Proszę uzupełnić dialog *W sklepie*.**

– ...Czy jest.... ser?
– Nie .... sera.
– Proszę chleb i .... wody mineralnej.
– Proszę. .... jeszcze?
– Nie. ....
– 7 zł.

ma
coś
dziękuję
butelkę
✓*czy jest*

Gramatyka

3b **Proszę uzupełnić listę zakupów – Marta robi duże zakupy w sklepie spożywczym i kupuje:**

Przykład: kostkę ...masła... (masło)

1. pół kilo .... (ser żółty)
2. 20 deka .... (szynka krakowska)
3. butelkę .... (czerwone wino)
4. dwa litry .... (świeże mleko)
5. paczkę .... (zielona herbata)
6. kilogram .... (hiszpański pomidor)
7. pudełko .... (ciastko czekoladowe)
8. sześć .... (jajko)
9. 4 kawałki .... (pizza)
10. litr .... (lody czekoladowe)

Wymowa

CD **3c** **Proszę posłuchać odpowiedzi z ćwiczenia 3b i powtórzyć je za lektorem.**

4 **Proszę ułożyć zdania.**

Przykład: (ja) – nosić – spodnie – lubić

.........Lubię nosić spodnie.........

1. (ja) – mieć – czerwony – na sobie – kostium

   ....

2. on – nosić – do – praca – garnitur

   ....

3. podobać – twoja – mi – spódnica – się

   ....

4. dziękuję, – miłe – bardzo – to

   ....

5. mu – podobać – się – twoje – dżinsy

   ....

6. móc – ja – przymierzyć – czy?

   ....

7. kosztować – te – buty – ile?

   ....

Wymowa

CD **5** **Proszę posłuchać nagrania, a następnie powtórzyć zdania.**

1. Proszę te trzy czerwone podkoszulki.
2. Hiszpańska herbata z hibiskusa jest dobra na alergię.
3. Gdzie jest przymierzalnia?
4. Czy mogę zobaczyć tę koszulę?
5. Podoba mi się twoja żółta spódnica.

6 **Proszę przeczytać tekst *Subkultury i moda*, a następnie dopasować nazwę subkultury do jej opisu.**

1. Noszą luźne, „za duże" spodnie, czapki bejsbolówki, sportowe buty. Jeżdżą na deskorolkach. W tej grupie są też rollerzy, którzy jeżdżą na rolkach.
2. Noszą bardzo wąskie spodnie, wysokie adidasy i czarne podkoszulki. Mają długie włosy. Słuchają głośnej, „ciężkiej" muzyki.
3. Noszą luźne spodnie, sportowe buty, a także bluzy sportowe z kapturem i czapki bejsbolówki. Słuchają hip-hopu.
4. Na imprezach noszą fosforyzujące podkoszulki, farbują włosy na intensywne kolory. Słuchają rytmicznej muzyki, na przykład ambient, trance, jungle.
5. Noszą sportowe komplety – dresy, często dobrej marki. To agresywna, chuligańska grupa. Lubią mecze piłki nożnej.

7 **Proszę napisać, jakie ubranie lubi Pan / Pani nosić, a jakiego nie (10 zdań).**

....

....

....

....

....

....

....

....

....

....

....

....

....

....

....

lekcja 10

To już było!

Słownictwo

Ortografia

1 Proszę wpisać właściwą nazwę miesiąca.

Przykład: Marek i Bogdan jeździli na nartach w ....*lutym*...... (mtuly).

1. Sylwester jest w .... (rugniud).
2. W .... Aneta i Romek spotykali się codziennie (mrauc).
3. W .... mieliśmy test z polskiego (jamu).
4. We .... byliśmy w Warszawie (weśniurz).
5. Andrzej dużo pracował w .... (pudzieźrniak).

2a Proszę ustalić właściwą kolejność zdań tak, aby tworzyły logiczną całość.

..... – We wrześniu i w październiku dużo pracowaliśmy.
..*1*.. – W zeszłym roku
..... – W lutym i w marcu mieliśmy dużo pracy.
..... – W grudniu jeździliśmy na nartach w Zakopanem.
..... – W lipcu chodziliśmy na intensywny kurs polskiego.
..... – W kwietniu często spotykaliśmy się ze znajomymi.
..... – W maju byliśmy w Gdańsku.
..... – W listopadzie często chodziliśmy do kina.
..... – W czerwcu uczyliśmy się do testu kwalifikacyjnego z polskiego.
..... – w styczniu byliśmy dwa tygodnie w górach.
..... – W sierpniu mieliśmy cztery tygodnie urlopu.

CD 2b Proszę posłuchać nagrania i sprawdzić swoje odpowiedzi.

3 Jakie tu są słowa (poziomo → i pionowo ↓)?

Q	P	Ą	Ę	U	Y	I	O	H	Y	P
W	R	**S**	**Z**	**C**	**Z**	**Ę**	**Ś**	**C**	**I**	**E**
D	A	W	N	O	E	O	G	R	U	C
B	W	Ć	Ź	Ś	Ó	S	Ę	A	Ó	H
R	I	E	E	W	Z	E	S	Z	Ł	Y
R	E	O	S	T	A	T	N	I	O	P
P	O	W	A	Ż	N	I	E	S	O	B

CZASOWNIK Gramatyka

4 Proszę wpisać właściwą formę czasu przeszłego (aspekt niedokonany – rodzaj męski i męskoosobowy).

Przykład: Dwa lata temu Marek ....*mieszkał*........ we Wrocławiu. (mieszkać)

1. Gdzie (ty) .... trzy lata temu? (mieszkać)
2. Rok temu (ja) .... we Włoszech. (mieszkać)
3. Co (wy) .... wczoraj? (robić)
4. Wczoraj (on) dużo .... (pracować)
5. W sobotę (ja) nie .... (pracować)
6. W niedzielę (my) .... do dwunastej w południe. (spać)
7. Do której godziny (ty) .... w piątek? (spać)
8. Jacek .... wczoraj telewizję. (oglądać)
9. W środę (my) .... wolny dzień. (mieć)
10. W czwartek on dużo .... (pisać)
11. O której godzinie wczoraj (wy) .... obiad? (gotować)
12. (my) .... w restauracji. (być)
13. Czy (ty) .... za granicą? (być)
14. Marek .... w Hiszpanii cztery lata temu. (być)

5 **Proszę wpisać właściwą formę czasu przeszłego (aspekt niedokonany – rodzaj męski).**

To jest Bartek. Wczoraj nie ...pracował... (pracować). On .... (mieć) dzień wolny. Najpierw .... (spać) do dziesiątej. Potem .... (robić) śniadanie. W południe Bartek .... (oglądać) telewizję i .... (rozmawiać) przez telefon z przyjacielem. Po południu .... (oglądać) film, a wieczorem .... (czytać) książkę i .... (pisać) maila do kuzyna w Niemczech. Potem pół godziny .... (brać) prysznic. O jedenastej wieczorem już .... (spać).

6 **Proszę wpisać właściwą formę czasu przeszłego (aspekt niedokonany – rodzaj żeński i niemęskoosobowy).**

Przykład: Maria ....była...... wczoraj w kinie. (być)

1. Czy (wy) .... długo we wtorek? (pracować)
2. Dwa dni temu (ja) .... do wieczora. (pracować)
3. Ona .... trzy lata temu w Anglii. (pracować)
4. W sobotę Ania i Weronika .... w pubie. (tańczyć)
5. Ona .... w weekend. (uczyć się)
6. Czy (ty) .... obiad w barze? (jeść)
7. W niedzielę Ania .... do dziesiątej. (spać)
8. Ona .... wczoraj do jedenastej. (spać)
9. Czy one .... w sobotę w teatrze? (być)
10. Dwa lata temu (my) .... w Rosji. (mieszkać)
11. 10 lat temu (ja) .... w Niemczech. (być)
12. Czy we wtorek (ty) .... języka polskiego? (uczyć się)
13. W sobotę Justyna .... w Zakopanem. (być)
14. W czwartek Agnieszka .... trzy godziny w parku. (spacerować)

7 **Proszę zamienić bezokoliczniki na formę czasu przeszłego (aspekt niedokonany – rodzaj żeński).**

To jest Anka. Wczoraj dużo ....pracowała.. (pracować). Anka .... (pisać) maile, (pracować) .... na komputerze, ... (rozmawiać) z szefową. .... (Pracować) od ósmej rano do ósmej wieczorem. Po pracy przez dwie godziny .... (robić) zakupy, a potem .... (jechać) tramwajem pół godziny. W domu .... (robić) kolację. Potem .... (myć) naczynia. Następnie .... (rozmawiać) przez telefon z przyjaciółką, a potem .... (czytać) gazetę. W nocy Ania ....(tańczyć) ze znajomymi w klubie jazzowym.

8 **Proszę zamienić bezokoliczniki na formę czasu przeszłego (aspekt niedokonany).**

W zeszłym tygodniu Marek, Andrzej, Anna i Marta ..byli.. (być) w Berlinie. .... (spacerować) i .... (zwiedzać) stolicę Niemiec. .... (chodzić) na dyskoteki i do kawiarni. Tam .... (tańczyć), ... (pić) piwo i .... (rozmawiać) o życiu. .... (robić) też zakupy. Marek i Andrzej .... (mieszkać) w Berlinie u znajomych, a Marta i Anna .... (mieszkać) w hotelu. One .... (robić) zakupy, ... (chodzić) do muzeów i do galerii. Marta i Anna .... (robić) też dużo zdjęć. One .... (być) w Berlinie trzy dni, a Marek i Andrzej cztery. Wszyscy (oni) .... (być) zadowoleni z tej wycieczki.

9 **Proszę zamienić bezokoliczniki na formę czasu przeszłego (aspekt niedokonany).**

Marta ....była.......... (być) nauczycielką języka niemieckiego i .... (pracować) w szkole. .... (uczyć) też języka angielskiego i bardzo .... (lubić) tę pracę. Marta nie .... (mieć) męża i dzieci. .... (mieć) przyjaciela. On .... (mieć) na imię Adam i .... (być) architektem. (on) .... (pracować) w dużej firmie i nigdy nie .... (mieć) czasu. Adam .... (mieć) siostrę. Ona .... (mieć) na imię Anna. Anna .... (być) studentką. (ona) .... (studiować) biologię. (ona) .... (uczyć się) bardzo dużo.

Gramatyka

JAKI BYŁ ICH DZIEŃ?

10a **Proszę napisać, co robili wczoraj Tomek i Andrzej. Proszę użyć słów:**

zęby śniadanie kawa książka ✓się
obiad zakupy telewizja list biuro

Wczoraj rano Tomek i Andrzej obudzili się o siódmej.

10b **Proszę napisać, co robiły przedwczoraj Paulina i Kasia. Proszę użyć słów:**

wstać gotować zadanie taksówka kolacja
wino spacer rozmawiać kino wracać

11 **Proszę wpisać formę czasu przeszłego (aspekt niedokonany).**

Przykład: Kiedy pan Tomasz był mały, ...*chciał*... być pilotem. (chcieć)

1. Kiedy Anna .... 6 lat, jeszcze nie .... jeździć na nartach. (mieć, umieć)
2. Nie ...., że ten film jest taki dobry. (wiedzieć – my, rodzaj męskoosobowy)
3. One nic nie .... (widzieć)
4. Andrzej był chory i .... leżeć w łóżku. (musieć)
5. On wczoraj długo .... w łóżku. (leżeć)
6. Czy ...., co mówiła ta Polka? (rozumieć – wy, rodzaj niemęskoosobowy)
7. Wczoraj nie .... czasu. (mieć – ja)
8. Kim .... być, kiedy byłeś dzieckiem? (chcieć)
9. Kim .... być, kiedy byłaś dzieckiem? (chcieć)
10. Czy .... oglądać wczoraj telewizję? (chcieć – wy, rodzaj męskoosobowy)
11. Czy pan .... już urlop w tym roku? (mieć)
12. Trzy lata temu jeszcze nie .... mówić po polsku. (umieć – my, rodzaj męskoosobowy)
13. Marta nie .... , że język rosyjski jest taki trudny. (wiedzieć)
14. Czy ...., że Kraków był stolicą Polski? (wiedzieć – ty, rodzaj żeński)
15. Książka .... na biurku, a ja szukałem jej tak długo! (leżeć)

12 **Proszę wpisać formę czasu przeszłego (aspekt niedokonany).**

A. ***móc***

1. Mateusz nie .... rozmawiać przez telefon, bo miał ważne spotkanie.
2. Anna nie .... się uczyć, bo sąsiad bardzo głośno grał na gitarze.
3. Nie wiem dlaczego, ale nie .... wczoraj w nocy spać.
4. One były chore i nie .... chodzić do szkoły.
5. Do której godziny .... być na dyskotece, kiedy miałyście po 16 lat?

B. ***jeść***

1. Ta zupa jest naprawdę pyszna, nigdy takiej nie .... (my – rodzaj męskoosobowy)
2. Na urlopie Marek .... śniadanie zawsze o dziesiątej.
3. Kiedy Anna miała 6 lat, często .... słodycze.
4. .... już barszcz czerwony? (wy – rodzaj męskoosobowy)
5. (ja) Nigdy nie .... w tej restauracji.

C. *iść*
1. Jak długo (ty) .... wczoraj do pracy?
2. Jak długo .... pani wczoraj do centrum?
3. W sobotę po dyskotece .... pieszo prawie 4 godziny – z centrum do akademika. (my – rodzaj męskoosobowy)
4. Z pracy do domu Mateusz .... około pół godziny.
5. (ja) .... wczoraj 15 minut do szkoły.

CD **13 Proszę posłuchać nagrań i uzupełnić dialogi.**

A.
– Słucham.
– Dzień dobry. Tu Bogdan. Czy jest Marek?
– Cześć. To ja. Co słychać? .... już urlop?
– Tak. .... w Australii.
– Gdzie .... ? W hotelu?
– Nie, nie mieszkałem w hotelu. .... u kuzyna.
– A gdzie ....? W restauracji?
– Nie. Sam .... śniadanie i obiad, a kolację .... mój kuzyn.

B.
– Cześć, Maciek. Jak się masz? Co .... wczoraj?
– Nie .... w pracy. .... wolny dzień. Długo ...., ... książkę. A wieczorem byłem w kinie z kolegami. A ty?
– Ja .... od ósmej rano do czwartej. A potem .... telewizję.

C.
– Cześć, Magda!
– Cześć, Jacek. Jak się masz?
– Dziękuję, świetnie. Co u ciebie? Co .... wczoraj wieczorem?
– Wczoraj .... w pubie do trzeciej w nocy. Jestem dziś bardzo zmęczona.
– Dużo ....?
– Nie, tylko trzy piwa, ale bardzo dużo ....

D.
– Maria Nowak, słucham.
– Cześć. Tu Paweł. Gdzie .... we wtorek? .... do ciebie. .... w domu?
– Nie. We wtorek .... w Warszawie. .... ważne spotkanie.
– Szkoda, bo .... dwa bilety na świetny koncert.

14 Proszę odpisać na mail z lekcji jako Jacek (mężczyźni) lub jako Ania (kobiety).
W mailu proszę napisać o tym:
– co robił Pan / robiła Pani ostatnio (proszę użyć nazw miesięcy),
– dlaczego nie pisał Pan / pisała Pani do Marty.
Proszę napisać przynajmniej 15 zdań.

lekcja 11

Jakie masz plany?

Gramatyka | Słownictwo

1a **Proszę uzupełnić tabelę podanymi okolicznikami czasu.**

w przyszłym roku   za dwa lata   dzisiaj ✓w zeszłym roku   teraz   w przyszłym miesiącu
za rok   obecnie   w tym momencie   za chwilę   jutro   za miesiąc   w zeszłym tygodniu
wczoraj   w przyszłym tygodniu   przedwczoraj   pojutrze

KIEDY?

czas przeszły	czas teraźniejszy	czas przyszły
w zeszłym roku		

1b **Proszę napisać 6 zdań ze słowami lub wyrażeniami wybranymi z tabeli (po 2 w każdym czasie).**

1. ....
2. ....
3. ....
4. ....
5. ....
6. ....

1c **Proszę napisać 15 zdań na temat *Świat w przyszłości*.**

lekcja 11

Ortografia

2 **W tych SMS-ach nie ma polskich liter. Proszę dopisać kropkę, kreskę i ogonek.**

O której będziecie? Gdzie jestes? Co bedziesz robic po poludniu?
Bedziecie w srode u Magdy? Bede o czwartej.
Czesc, co slychac? Nie moge byc dzisiaj u ciebie. Przepraszam.

CD **3** **Proszę uzupełnić dialog, posłuchać nagrania i sprawdzić swoje odpowiedzi.**

– Dzień dobry, chciałabym kupić telefon ..komórkowy.. . Jakie państwo macie .... w ofercie?
– Mamy dwa typy taryf. Dla .... prywatnych i dla .... Jaki typ panią interesuje?
– To będzie .... prywatny.
– Czy będzie pani często ....?
– Myślę, że tak.
– W takim razie proponuję taryfę „Aktywną". Będzie pani mieć 70 minut wliczonych w ....
– A co z SMS-ami?
– Będzie pani mogła napisać 15 SMS-ów za ...., a za każdy kolejny .... pani musiała płacić.
– ....?
– 30 groszy.
– A ile będę musiała .... za abonament?
– 50 złotych na miesiąc.

Gramatyka

4 **Proszę uzupełnić zdania.**

Przykład: (ja) ......Będę.... jechać do Niemiec autobusem.
1. Oni .... oglądać telewizję.
2. Do której (ty) .... jutro pracować?
3. (wy) .... jutro pisać raport?
4. W weekend Magda i Anna .... grać w tenisa.
5. Wieczorem Marek .... słuchać muzyki.
6. Jutro Paweł .... w Warszawie.
7. We wtorek Jola i Marta .... uczyć się angielskiego.
8. W niedzielę (ja) .... odpoczywać.
9. W Zakopanem Romek .... jeździć na nartach.
10. Czy (wy) .... sprzątać w sobotę?
11. W środę wieczorem (my) .... oglądać telewizję.
12. Pojutrze nauczyciele .... pytać studentów.
13. Pojutrze moi koledzy .... jeździć na rowerze.
14. Jutro (ja) .... sprzątać mieszkanie.

MAJ
2 3 4
9 10 11
16 17 18
23/30 24/31 25
CZERWIEC
1
7 8
14 15
21 22

5a Proszę uzupełnić zdania.

Przykład: **studiować**

Dwa lata temu Andrzej nie ..studiował.. .

Teraz ...studiuje..... .

W przyszłym roku też ......będzie studiować. .

1. ***mieszkać***

W zeszłym roku Marta i Anna .... w Warszawie.

W tym roku .... w Krakowie.

W przyszłym roku być może .... w Szczecinie.

2. ***jeść***

Wczoraj (my) .... obiad w restauracji.

Dzisiaj .... obiad w domu.

Jutro .... obiad u znajomych.

3. ***spać***

Grażyna .... wczoraj do siódmej.

W weekend zwykle .... do dziesiątej.

Jutro .... do dziewiątej.

4. ***szukać***

W zeszłym roku Andrzej i Wojtek .... nowej pracy.

W tym roku .... mieszkania.

Nie wiem, czego .... w przyszłym roku.

5. ***uczyć się***

Cztery lata temu (ja) nie .... polskiego.

Teraz regularnie .... polskiego.

W przyszłym roku też .... polskiego.

5b Proszę uzupełnić zdania.

Przykład: ***móc***

Kiedy Marek był dzieckiem, nie .....mógł..... sam chodzić do kina.

Teraz ...może..... sam chodzić do kina.

W przyszłości też .będzie mógł.. sam chodzić do kina.

1. ***chcieć***

W zeszłym roku państwo Raszyńscy .... podróżować.

W tym roku .... pracować.

Nie wiem, co oni .... robić w przyszłym roku.

2. ***musieć***

Wczoraj (my) .... / .... dużo pracować.

Dzisiaj nie .... tak dużo pracować.

Jutro też nie .... /............... .... dużo pracować.

3. ***móc***

Anna była chora i nie .... chodzić do szkoły.

Teraz jest zdrowa i .... chodzić do szkoły.

W przyszłym roku .... chodzić na kurs francuskiego.

4. ***chcieć***

W zeszłym miesiącu Agata nie .... jechać do Warszawy.

Teraz .... jechać do Warszawy.

Nie wiem, dokąd .... jechać za miesiąc.

5. ***musieć***

Kiedy Antek był dzieckiem, nigdy nie .... pracować.

Teraz .... pracować.

Kiedy będzie emerytem, nie .... pracować.

6. ***móc***

Czy (wy) .... / .... jeść na lekcji w szkole?

Czy .... mówić wolniej?

Czy .... / .... iść do kina po południu?

lekcja 12

Gdzie jesteś?

1 Gdzie dokładnie na wyspie piratów jest skarb? Proszę posłuchać nagrania, a następnie narysować, jak dojść do skarbu piratów.

Słownictwo

2 Proszę wpisać kierunki świata.

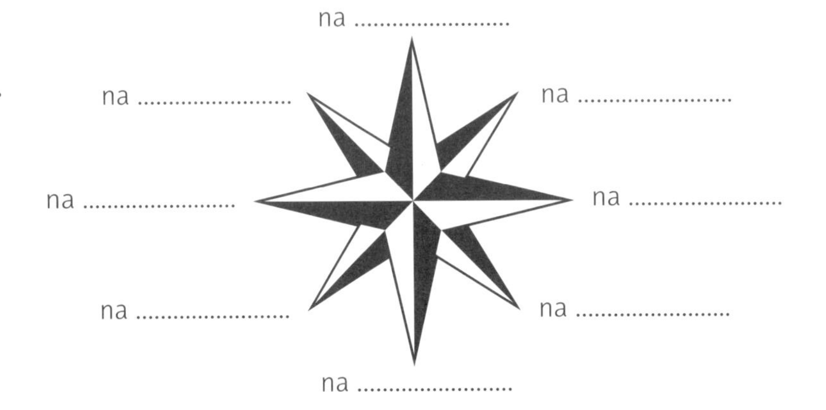

3 Proszę uzupełnić dialogi.

1.

– Przepraszam, jak ...dojść... do centrum?

– Proszę .... prosto, a następnie .... w prawo.

– Dziękuję.

– Nie ma za co.

2.

– Przepraszam, gdzie tu jest poczta?

– .... rogu tej ulicy.

– Dziękuję.

3.

– Jak .... do Muzeum Narodowego?

– Proszę iść ...., potem skręcić w lewo. Muzeum jest .... prawej ....

– Dziękuję.

– Proszę.

4.

– Gdzie jest .... tramwajowy?

– Nie wiem, nie jestem ....

– O, przepraszam.

Gramatyka MIEJSCOWNIK

4 Proszę uzupełnić zdania rzeczownikami w miejscowniku.

Przykład: Profesor pracuje na ...uniwersytecie... .

1. Lubię rozmawiać o ....
2. Parkuję samochód na .... albo na ....
3. Budapeszt jest na ....
4. Praga jest w ....
5. Boże Narodzenie jest w ....
6. Czekam na pociąg na .... albo na ....
7. Spaceruję po .... albo w ....
8. Książki są w ....
9. Jeśli nie rozumiem nowego słowa, szukam w ....
10. Nowy Jork jest w ....
11. Ludzie tańczą na ....

Ortografia

5 Proszę uzupełnić słowa odpowiednimi literami.

Przykład: w biu ..r.. ..z.. e

1. w kości .... e
2. w mi .... cie
3. w Pols ..... e
4. w Holand ....
5. w restaurac ....
6. na krze .... e
7. w sklep ..... e
8. w bluz ..... e
9. w taksów ..... e

CD **6 Proszę posłuchać nagrania z ćw. 5 i sprawdzić poprawność wpisanych liter.**

CD **7 Proszę posłuchać, co te osoby robiły i gdzie były rok temu, a następnie proszę uzupełnić tabelę.**

Kto?	Gdzie był / była?	Co robił / robiła?
Michał		miał wakacje.
Kasia		
Pani Mirka		
Pan Janicki		

Wymowa

CD **8 Proszę posłuchać zdań, a następnie powtórzyć je na głos.**

1. Andrzej Szczyp czyta tekst o Turcji.
2. Trzy krzesła stoją w kuchni.
3. Dziennikarz i nauczyciel jeżdżą na łyżwach.
4. Panna Anna rozmawia dziś o Dżakarcie.
5. Irek indywidualnie interesuje się informacjami o Indiach.
6. W Szwecji Stefan zawsze mówi po szwedzku.
7. Cześć, czy to ty mieszkasz w tym mieście?
8. Grupa jazzowa ma koncert w kościele.
9. Te niebieskie dżinsy wiszą w szafie.
10. Cała cytryna leży na stole.

Gramatyka

9 Proszę uzupełnić tekst odpowiednimi formami miejscownika.

Bardzo lubię podróżować. Byłem prawie na wszystkich ....kontynentach.... (kontynent). Byłem nie tylko w .... (Afryka) i .... (Ameryka), ale też w .... (Australia).

Moja pasja zaczęła się, gdy byłem studentem. Podczas wakacji jeździłem pociągiem lub autostopem po .... (Europa). Zwiedziłem największe europejskie miasta. Byłem w .... (Berlin), spacerowałem po .... (Most Karola) w .... (Praga), widziałem „Monę Lizę" w .... (Luwr), karnawał w .... (Wenecja) i Forum Romanum w .... (Rzym), Big Bena w .... (Londyn), ogrody Gaudiego w .... (Barcelona).

Szkoda tylko, że nie znam dobrze Polski: nie byłem ani w .... (Poznań), ani w .... (Gdańsk), ani w .... (Tatry), ani na .... (Mazury). Nie miałem na razie czasu, ale w przyszłym roku w lipcu i sierpniu planuję urlop w .... (Polska) – całe dwa miesiące będę jeździć po waszym .... (kraj).

10 Proszę przeczytać tekst, a następnie podkreślić właściwą formę przyimka.

Przykład: Basia i Michał lubią (z/o) nami spędzać czas.

Często (z/na) nimi wychodzimy (w/do) klubów, (w/do) kina i (do/na) imprezy. Są bardzo interesującymi osobami i rozmawiamy (u/o) wielu sprawach. Być może razem spędzimy też wakacje (w/na) górach. Wszyscy lubimy jeździć (na/o) nartach i chodzić (o/po) górach.

lekcja 13

Jadę na urlop!

Słownictwo

1 Do której kategorii należą te słowa?

śniadanie namiot z łazienką autobusem obiad pociągiem jednoosobowy kolacja dwuosobowy samolotem pełne dla niepalących domek kempingowy samochodem ✓hotel pensjonat za granicę

Zakwaterowanie: hotel..........

Wyżywienie: ....

Podróżuję: ....

Pokój: ....

2 Które słowo nie pasuje do pozostałych? Dlaczego?

Przykład: odpoczywać – ~~pracować~~ – relaksować się – opalać się

1. słońce – deszcz – pieniądze – pogoda
2. pensjonat – namiot – weekend – hotel
3. pieszo – samolotem – pociągiem – miesiąc
4. słownik – latarka – lampa – słońce
5. śpiwór – lipiec – namiot – plecak
6. jezioro – góry – rzeka – morze
7. przedział – prysznic – wagon – kuszetka
8. plecak – stolica – torba – walizka
9. leżeć – ulgowy – spać – kuszetka
10. prysznic – natrysk – przedział – łazienka
11. serdeczne – plecak – przesyłać – pozdrowienia
12. pospieszny – ulgowy – ekspres – osobowy

3 Proszę uzupełnić list.

chłopakami morze ✓plaży opala dzieci dużo słońce pić

Łeba 28 VII 2006 r.

Droga Aniu!

Jestem na ..plaży.., przede mną piękne ...., świeci ...., a ja piszę do Ciebie. Jest po prostu świetnie. Leżę teraz na piasku, jest bardzo gorąco, muszę cały czas coś .... Andrzej teraz pływa.

Niestety jest tu bardzo .... ludzi. Nie wiem, dlaczego tak dużo rodzin wybrało, jak ja, Łebę. Najgorsze są .... – biegają, są bardzo głośne. Sama wiesz. Jest tu dość dużo obcokrajowców. Są tu np. turyści z Niemiec, Rosji, Słowacji i Czech. Nie uwierzysz! Spotkałam tu naszego nauczyciela matematyki z liceum. Teraz nasz profesor .... się i nie wie, że jego żona gra właśnie w siatkówkę z jakimiś młodymi .... To ciekawe...

Kończę, bo Andrzej woła mnie do wody.

Pozdrawiam Cię serdecznie

Agnieszka

4 Proszę uzupełnić ofertę*.

Wakacje w ..Hiszpanii..!!! Super .... biletów lotniczych do Hiszpanii!!!
Oferta tylko u nas!!!
Rezerwacja i sprzedaż do 8 września!
www.samoloty.hiszpania.pl/ Infolinia – 0800 934 789 243

Jesteś ....? .... podróż do Hiszpanii?

MALAGA od 179 USD!
SEVILLA od 179 USD!
CADIZ od 208 USD!
BARCELONA od 222 USD!
MADRID od 222 USD!
GRANADA od 229 USD!

Promocja dla nauczycieli! (legitymacja ITIC). Termin lotu .... 31 października. Pasażer .... za tę samą cenę kupić bilet .... osoby towarzyszącej! Osoba towarzysząca nie .... mieć legitymacji ITIC.
Szukaj też:
Supertanie bilety lotnicze – oferty promocyjne! http://samoloty.calyswiat.pl/ – wszystkie linie, cały świat!
Wakacje – dużo ofert urlopowych!!! http://lastminute.wakacje.pl/ – last minute, tanie kwatery!!!

do dla
ceny musi
może
nauczycielem
✓Hiszpanii
planujesz

* Na podstawie wiadomości przesłanej przez: Onet.pl S.A. Weryfikacja listu:http://poczta.onet.pl/mailing/57035573782412110152

CD 5 Proszę uzupełnić dialogi, posłuchać nagrań i sprawdzić swoje odpowiedzi.

WARSZAWA – ..DWORZEC.. GŁÓWNY PKP
KASA

Bogdan: Dzień dobry. Proszę dwa .... Krakowa.

Kasjerka: .... pociąg? Pośpieszny czy ....?

B: Ekspres.

K: Która .... Pierwsza czy druga?

B: Druga.

K: .... dla palących .... niepalących?

B: .... palących. Proszę o miejsca przy oknie.

K: Bilety .... czy ulgowe?

B: Zwykłe. Czy bilety są z ....?

K: Tak, oczywiście.

B: .... płacę?

K: 165 złotych.

POCIĄG, PRZEDZIAŁ .... NIEPALĄCYCH

Pan: Przepraszam, czy .... zapalić?

Adam: Nie. To jest przedział dla niepalących. Tu nie można .... Bardzo proszę nie palić.

Pan: A czy mogę otworzyć ....?

Adam: Proszę bardzo.

Konduktor: Dzień dobry. Proszę .... do kontroli.

Adam: Proszę, to jest mój bilet.

Konduktor: To jest bilet .... Proszę pokazać legitymację studencką.

6a Oto rozmowa telefoniczna. Proszę zdecydować, jaka jest kolejność wypowiedzi.

JEDZIEMY NA URLOP!

Dzwoni telefon.

..... – Tak, cześć. Co u ciebie słychać? Jak się ma Marta?

..... – Na urlop... Ja też mam ochotę na urlop. Na długo jedziecie?

.12. – Aha, pokój ze śniadaniem.

..... – Świetnie, 14 dni wolnego! Ale teraz przecież jest brzydka pogoda. Pada deszcz, nie ma słońca.

..... – Nie, chcemy wakacje z wyżywieniem.

..... – U nas świetnie! Jedziemy na urlop!

..... – Jedziemy za granicę. Może do Grecji albo do Tunezji. Tam na pewno świeci słońce.

..... – No tak, tam naprawdę jest teraz piękna pogoda. Chcecie jechać pod namiot?

..1.. – Dzień dobry, mówi Marek. To ty Andrzej??

..... – Nie, chcemy mieszkać w pensjonacie albo w hotelu.

.10. – Rozumiem..., a co z jedzeniem? Gdzie będziecie jeść, a może, jeśli będziecie mieszkać w pensjonacie, będziecie gotować sami?

..... – Na dwa tygodnie.

..... – Nie, chcemy mieć pełne wyżywienie – śniadanie, obiad i kolację.

.17. – Tak, no właśnie... Andrzej, mam sprawę do ciebie, czy możesz pożyczyć mi trochę pieniędzy?

..... – Aha, a czym jedziecie? Samochodem czy autobusem?

..... – Lecimy samolotem.

..... – To wszystko musi dużo kosztować. Urlop dla dwóch osób, zakwaterowanie w hotelu, pełne wyżywienie i jeszcze samolot.

CD **6b Proszę posłuchać nagrania i sprawdzić swoje odpowiedzi.**

PRZYIMEK

7 Proszę wpisać właściwy przyimek.

Przykład: Idę ...do... sklepu ...na... zakupy.

1. Wieczorem idziemy .... pubu .... piwo.
2. Anna była wczoraj .... lekarza.
3. Dominik był .... zeszłym tygodniu .... Paryżu.
4. .... przyszłym miesiącu lecimy .... Niemiec.
5. Pan Ziembiewicz był .... weekend .... restauracji .... obiedzie.
6. Pani Okulska była .... urlopie .... Holandii i mieszkała .... przyjaciół.
7. Ewa i Rafał byli wczoraj .... romantycznym spacerze.
8. Masz ochotę iść wieczorem .... spacer?
9. Latem lubię być .... wodą albo .... górach.
10. Na wakacjach mieszkaliśmy .... znajomych.

RZECZOWNIK

8 Proszę wpisać właściwą formę słów podanych w nawiasach.

Przykład: Warszawa leży nad ...Wisłą... (Wisła).

1. Byłem w weekend u .... (wróżka).
2. Muszę iść do .... (fryzjer).
3. W lipcu jedziemy nad .... (morze).
4. W zeszłym roku byliśmy nad .... (morze).
5. Planuję jechać w .... (góry).
6. Mieszkam w .... (góry).
7. Idę na .... na .... (uniwersytet, wykład).
8. Byłam na .... na .... (uniwersytet, wykład).
9. Idziemy na .... (dworzec).
10. Bezdomni śpią czasem na .... (dworzec).

9 Proszę wpisać właściwe słowo.

bo więc ale że albo ~~i~~ kiedy

Przykład: Lubię pływać ....i... biegać.

1. Wiem, ... ten hotel jest bardzo dobry.
2. Jadę za granicę, ... muszę mieć ze sobą paszport.
3. Nie lubię, ... jest brzydka pogoda.
4. Jest brzydka pogoda, ... na szczęście nie pada deszcz.
5. Często nocuję w tym pensjonacie, ... jest tani.
6. W przyszłym roku jedziemy nad morze .... nad jezioro.

10 Proszę zapytać o podkreślone słowa.

Przykład: <u>W październiku</u> jadę za granicę.
..............................Kiedy jedziesz za granicę?

1. Nigdy nie byliśmy <u>w Polsce</u>.
   ....
2. Lubię spędzać wakacje <u>nad jeziorem</u>.
   ....
3. Na wakacje zawsze biorę ze sobą <u>pieniądze</u>.
   ....
4. Często jemy obiad <u>w restauracji</u>.
   ....
5. Lubię spędzać wakacje <u>z przyjaciółmi</u>.
   ....
6. Na ostatnim urlopie mieszkaliśmy <u>u znajomych</u>.
   ....
7. <u>Zimą</u> spędzam urlop w górach.
   ....
8. W przyszłym roku jedziemy na urlop <u>samochodem</u>.
   ....
9. Jedziemy na urlop <u>za dwa tygodnie</u>.
   ....
10. Jedziemy na urlop <u>na dwa tygodnie</u>.
   ....

11 Proszę odpowiedzieć na pytania.

Przykład: U kogo byłeś / byłaś ostatnio?
..........Ostatnio byłem / byłam u koleżanki.

1. Dokąd jedziesz na wakacje?
   ....
2. Na czym byłeś / byłaś ostatnio w kinie?
   ....
3. Gdzie parkujesz samochód?
   ....
4. Do kogo często dzwonisz?
   ....
5. Gdzie mieszkasz?
   ....
6. W jakich górach byłeś / byłaś ostatnio?
   ....
7. Nad jakim morzem / jeziorem byłeś / byłaś ostatnio?
   ....
8. Gdzie kupujesz znaczki?
   ....
9. Gdzie czekasz na pociąg?
   ....
10. Gdzie kupujesz bilet na samolot?
   ....

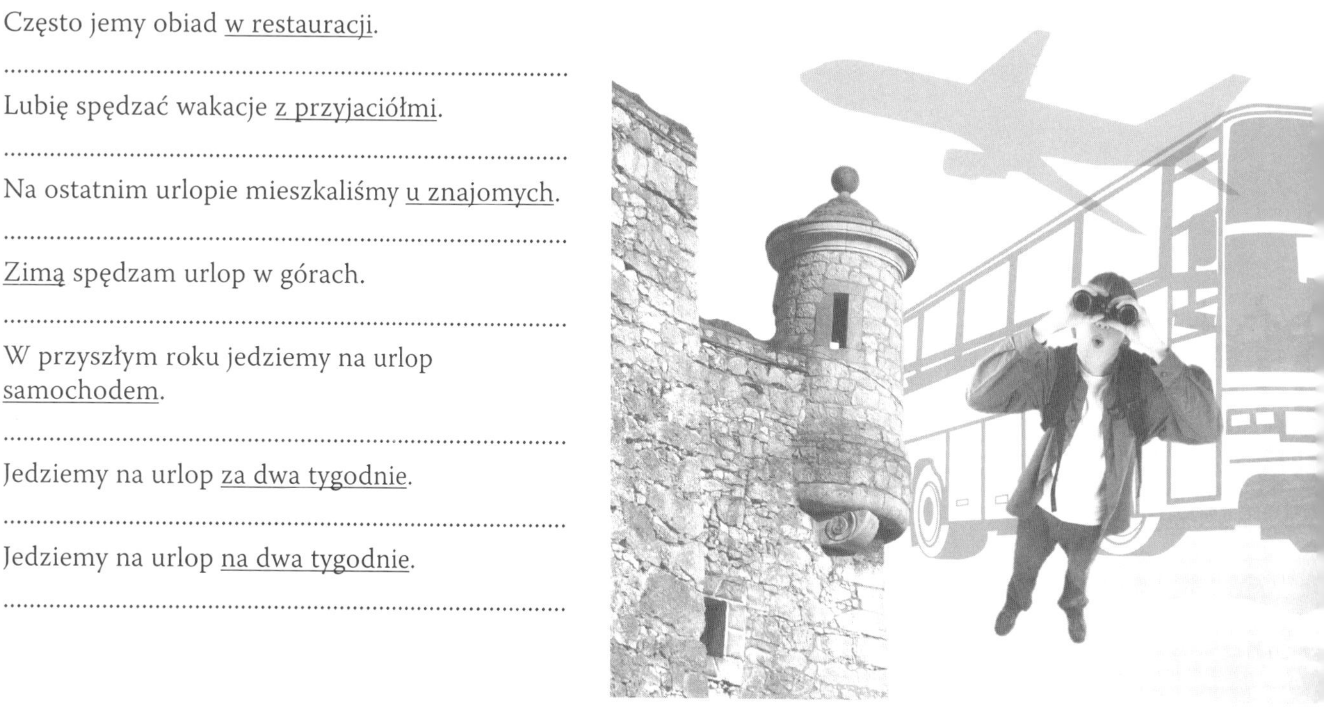

12 **Planuje Pan / Pani pojechać na weekend do Krakowa. Proszę przeczytać ofertę, a następnie napisać krótki list do biura podróży „Krakowianka" z pytaniami o hotel, transport i wyżywienie.**

Proszę użyć następujących zwrotów:
Szanowni Państwo
Jestem zainteresowany/a Państwa ofertą...
Mam kilka pytań
po pierwsze...
Po drugie...
Po trzecie...
Z poważaniem

....
....
....
....
....
....
....
....
....
....
....
....
....
....
....

Oferta biura podróży „Krakowianka":

OKAZJA!

Wycieczka weekendowa do Krakowa – 340 PLN.
Możesz zwiedzić jedno z najstarszych miast w Polsce – zamek na Wawelu, Rynek, Uniwersytet Jagielloński, gotycki kościół Mariacki, a także dzielnicę Kazimierz.

Wycieczki fakultatywne: Wieliczka (kopalnia soli), Zakopane (Tatry), Ojców (park narodowy).
Rezerwacja: tel. +48 (012) 644-61-38,
e-mail: krakowianka@turysta.pl

lekcja 14

Szukam mieszkania.

Słownictwo

1 Proszę poszukać słów (poziomo → i pionowo ↓).

P	O	K	Ó	J	Z	F	Ą	G	P
S	Y	P	I	A	L	N	I	A	R
W	E	E	T	D	C	K	Ę	R	Z
R	T	U	I	A	B	U	Ó	A	E
T	H	U	K	L	N	C	Ź	Ż	D
K	U	C	H	N	I	A	D	Ó	P
A	S	D	F	I	M	R	O	Ą	O
G	H	J	K	A	L	I	M	Ę	K
P	I	W	N	I	C	A	J	G	Ó
Ł	A	Z	I	E	N	K	A	H	J

2 Proszę uzupełnić ogłoszenie.

remoncie dzwonić ✓wynajęcia centrum zaraz wyposażona dzienny ogrodem łazienka trzy

Do wynajęcia

Do ...*wynajęcia*... dom po ....
z tarasem, garażem i dużym ....
Dwupiętrowy, ... sypialnie, pokój
.................., gabinet, ... kuchnia
i ....
Blisko .... Od 0 12 451 98 23
(............................ wieczorem).

3 Które słowo nie pasuje do pozostałych? Dlaczego?

Przykład: stół – krzesło – szafa – ~~garaż~~

1. magnetowid – biurko – radio – telewizor
2. łóżko – biurko – komputer – monitor
3. prysznic – zdjęcie – umywalka – wanna
4. lodówka – stół – sypialnia – krzesła
5. pralka – łóżko – lodówka – magnetowid

Gramatyka

4 Proszę wybrać właściwe słowo i utworzyć formę miejscownika.

łazienka ✓łóżko sypialnia umywalka garaż komputer szafa fotel biurko lustro pokój stół

Przykład: Śpię na ...*łóżku*...... .

1. Śpię na łóżku w ....
2. Siedzę przy .... i pracuję na ....
3. Samochód stoi w ....
4. Myję okna w .... dziennym.
5. Przeglądam się w ....
6. Biorę prysznic w ....
7. Myję ręce w ....
8. Siedzę w .... i oglądam telewizję.
9. Siedzimy przy .... i jemy obiad.
10. Trzymam ubrania w ....

5a Proszę napisać liczbę mnogą podanych rzeczowników.

Przykład: dom – ....domy..............

1. balkon – ....
2. mieszkanie – ....
3. okno – ....
4. zdjęcie – ....
5. ogłoszenie – ....
6. mebel – ....
7. szafa – ....
8. stół – ....
9. krzesło – ....
10. pokój – ....
11. łóżko – ....
12. fotel – ....
13. lustro – ....
14. taras – ....
15. łazienka – ....
16. sypialnia – ....
17. kuchnia – ....
18. prysznic – ....
19. garaż – ....
20. szafka – ....

5b Proszę napisać liczbę mnogą słów podanych w nawiasach.

Przykład: Kupiłam dwa ...nowe. regały... na ...książki... (nowy regał, książka)

1. Często czytasz ....? (czasopismo mieszkaniowe).
2. Lubię .... (stary mebel)
3. Mój brat pracuje w biurze nieruchomości – kupuje i sprzedaje .... i ....
   ...., ... (stare i nowe mieszkanie, dom)
4. Moja babcia ma w domu .... i ....
   (antyczna szafa i krzesło)
5. Anna ma w kuchni .... (piękna szafka)
6. W komisie możemy kupić ...., ... i ....
   (używana pralka, lodówka, magnetowid)
7. Andrzej ma duży dom i dwa .... (duży garaż)

6a Proszę wpisać właściwy przyimek.

To jest pokój Pawła. ...Po... prawej stronie .... ścianie stoi łóżko. .... łóżka stoi mały stolik, a .... nim stoi lampka nocna. .... łóżkiem .... ścianie wisi zdjęcie. .... lewej stronie pokoju stoi szafa i regał. .... szafie stoi kwiatek. .... szafą a regałem stoi małe biurko. .... biurku stoi komputer. .... biurkiem .... suficie wisi lampa. .... środku pokoju stoi stół. .... stole stoją cztery krzesła. .... stołem śpi pies.

CD 6b Proszę posłuchać nagrania i sprawdzić swoje odpowiedzi.

7a Proszę napisać rzeczowniki i przymiotniki w odpowiednim przypadku.

Przykład: Nad ...*stołem kuchennym*..... wisi lampa. (stół kuchenny)

1. Między .... a .... stoi fotel. (szafa, łóżko)
2. Pod .... śpi pies. (krzesło)
3. Na .... śpi kot. (krzesło)
4. Lubię siedzieć w .... (ten wygodny fotel)
5. Często siedzimy na .... (ta zielona sofa)
6. Toaleta jest po .... przedpokoju. (lewa strona)
7. Za .... jest ogród. (nasz dom)
8. Rower trzymam w .... albo w .... (piwnica, garaż)
9. Na .... leży dywan. (podłoga)
10. Obok .... z .... stoi fotel. (regał, książki)

CD **7b Proszę posłuchać nagrania i sprawdzić swoje odpowiedzi.**

8 Proszę opisać ten dom (przynajmniej 15 zdań).

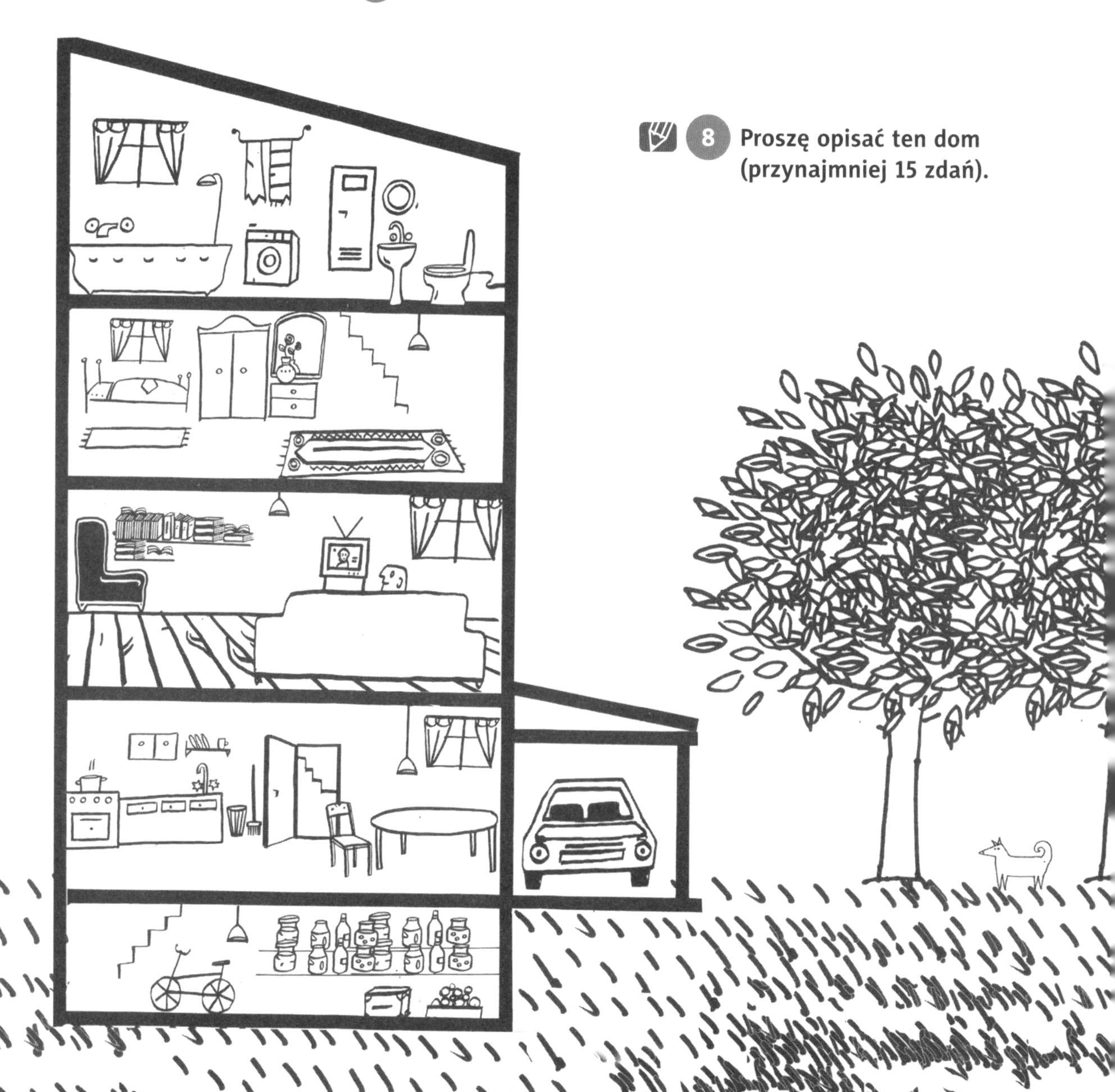

lekcja 15

Wszystko mnie boli!

CD **1a** **Proszę posłuchać tekstu, a następnie narysować na mapie, jaka jutro będzie pogoda.**

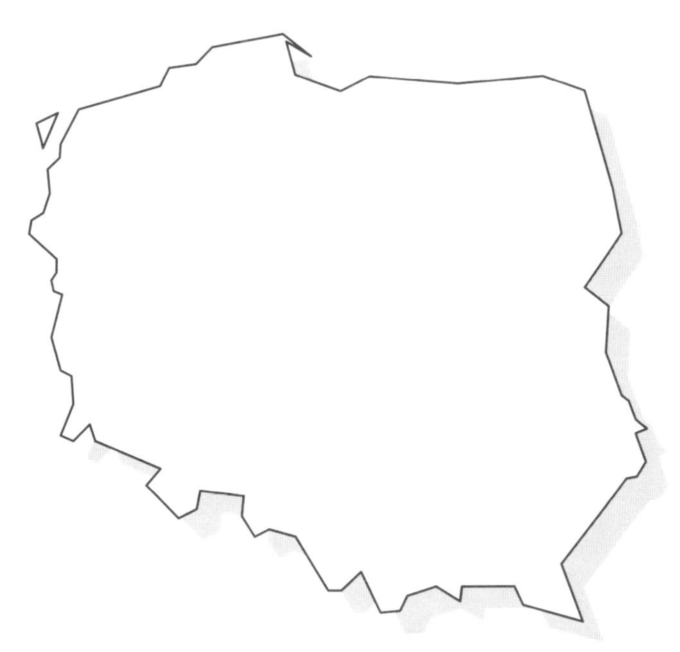

CD **1b** **Proszę posłuchać jeszcze raz, a następnie odpowiedzieć, jaka będzie temperatura.**

....

Słownictwo

2a **Proszę dopasować do siebie słowa z kolumn.**

Co boli?

Przykład: plecy —— biurko

1. nogi	a) mieć nowe, za małe buty
2. język	b) oglądać telewizję
3. oczy	c) za szybko jeść gorącą zupę
4. głowa	d) rockowy koncert
5. uszy	e) chodzić za dużo po górach
6. stopy	f) komputer

2b **Proszę napisać poprawne zdania z frazami z ćwiczenia 2a.**

Boli / bolą mnie..., bo... .

Przykład: Bolą mnie plecy, bo cały dzień siedziałem przy biurku.

1. ....
2. ....
3. ....
4. ....
5. ....
6. ....

3 Proszę uzupełnić dialog *U lekarza.*

Pacjent: – Dzień dobry, pani doktor.
Lekarka: – ...Dzień dobry......... . ...?
– Nie wiem dokładnie, ale bardzo źle się czuję.
– ....?
– Tak, mam katar i kaszel.
– ....?
– Od poniedziałku.
– ....?
– Wczoraj wieczorem miałem 38.
– ....?
– Tak, brałem aspirynę i syrop homeopatyczny.
– ....

Po chwili

Lekarka: – Może się pan ubrać. No tak, ma pan grypę. Proszę leżeć w łóżku przez co najmniej 5 dni. Proszę recepty na witaminy i syrop.
– ....?
– Nie, nie musi pan brać antybiotyku. Proszę przyjść do kontroli za tydzień.
– ....
– Proszę bardzo. Do widzenia.

Ortografia

4 Proszę uzupełnić brakujące litery.

Przykład: oczy – uszy – ręce – n .o. .g. .i.

1. usta – język – z ....
2. oko – brwi – r ....
3. katar – kaszel – g ....
4. apteka – recepta – .... kar .... twa
5. lekarz – pa ....
6. wiosna – .... – jesień – ....

Gramatyka

5a Proszę uzupełnić zdania formą przymiotnika lub przysłówka.

1. Dziś jest .ciepło..... (ciepły / ciepło), ale wczoraj było .... (zimny / zimno).
2. W tym roku lato jest bardzo .... (słoneczne / słonecznie).
3. To był .... dzień (deszczowy / deszczowo).
4. Polacy mówią bardzo .... (szybki / szybko).
5. W Formule 1 startują bardzo .... samochody (szybkie / szybko).
6. Mówię już .... po polsku (dobry / dobrze).
7. W weekendy mam zawsze za .... czasu dla rodziny (mały / mało).
8. Gdy byłam .... , mieszkałam w Warszawie. (mała / mało)

5b Proszę utworzyć od podanych przymiotników formy przysłówków.

Przykład: zimny	zimno
1. ciepły	
2. mały	
3. dobry	
4. deszczowy	
5. ładny	
6. zły	
7. słoneczny	
8. świetny	

Słownictwo

6 Proszę napisać po trzy przykłady do fraz.

Boli mnie: głowa, ...

Bolą mnie: ręce, ...

Gramatyka

7a Proszę utworzyć zdania.

Przykład: Kasia – boleć – bardzo – głowa. Kasię bardzo boli głowa.

1. dolegać? – pani – co ....
2. boleć – moja matka – plecy. ....
3. pogoda? – dziś – być – jaki ....
4. lato – świecić – często – słońce. ....
5. (ty) – czuć? – jak – się ....
6. dziś – pochmurno – być – słonecznie - wczoraj – ale – być

   ....
7. boleć – oczy – ja – bo – telewizja. – za – oglądać – wczoraj – długo

   ....

CD **7b Proszę posłuchać odpowiedzi z ćwiczenia 7a i sprawdzić swoje odpowiedzi.**

8 Proszę przeczytać list pana Jana, a następnie odpowiedzieć na pytania.

Szanowna Redakcjo,

mam 32 lata, jestem architektem i bardzo dużo czasu spędzam przy biurku, robiąc projekty. Zwykle pracuję osiem – dziewięć godzin dziennie. Od kilku miesięcy mam problemy ze zdrowiem: gdy siedzę dłużej niż trzy godziny, bolą mnie plecy, ręce i nogi. Oczywiście byłem u lekarza – poradził mi ćwiczenia fizyczne, rehabilitację i więcej spacerów. Ale ja nie mam na to czasu. Nie wiem, czy są proste ćwiczenia, które mogę wykonywać przy biurku? Czy są jakieś książki na ten temat?

Z poważaniem

Jan Adamski

1. Kim jest Jan?

   ....
2. Od kiedy ma problemy ze zdrowiem?

   ....
3. Jakie ma problemy ze zdrowiem?

   ....
4. Co poradził mu lekarz?

   ....
5. Dlaczego Jan nie chce robić tego, co zalecił mu lekarz?

   ....
6. O co prosi redakcję?

   ....

lekcja

16

Urodziłem się w Polsce.

Słownictwo

1a Proszę ułożyć biografię Mariana w porządku chronologicznym.

..... – Rok po ślubie jego żona spodziewała się dziecka. Urodziła syna.
..1.. – Marian urodził się w Prządkowicach Dolnych koło Giżewsza.
..... – Kiedy jego syn chodził do szkoły podstawowej, Marian za dużo pracował
..... – W Warszawie poznał dziewczynę, z którą najpierw chodził i z którą potem się ożenił.
..... – do liceum. Po maturze studiował geografię na Uniwersytecie Warszawskim.
..... – Tam chodził do szkoły podstawowej. Kiedy ją skończył, zdał egzamin
..... – Wyzdrowiał po miesiącu, ale potem niestety bardzo szybko zestarzał się.
..... – i dlatego zachorował na serce. Musiał pojechać do szpitala.
..... – Marian umarł nagle. Miał tylko 51 lat.

CD **1b Proszę posłuchać nagrania i sprawdzić swoje odpowiedzi.**

Gramatyka

1c Proszę podkreślić w tekście ćwiczenia 1a formy niedokonane i dokonane. Jakie są bezokoliczniki tych czasowników?

niedokonane:

....

....

....

....

dokonane:

....

....

....

....

2a **Proszę dopasować czasowniki dokonane do czasowników niedokonanych.**

zapomnieć ✓napisać przeczytać pójść wstać powiedzieć wziąć ukraść zamknąć porozmawiać poszukać posłuchać pomyśleć odpowiedzieć zapytać poczekać pojechać kupić otworzyć dać ubrać się dostać wypić skończyć

niedokonany	dokonany	w Pani / Pana języku
pisać	napisać	
czytać		
rozmawiać		
szukać		
słuchać		
pytać		
czekać		
myśleć		
jechać		
iść		
pić		
kraść		
kończyć		
odpowiadać		
zapominać		
otwierać		
zamykać		
kupować		
dostawać		
wstawać		
dawać		
ubierać się		
mówić		
brać		

CD **2b** **Proszę posłuchać nagrania i sprawdzić swoje odpowiedzi.**

3 **Proszę uzupełnić zdania czasownikami w czasie przeszłym (aspekt niedokonany i dokonany).**

A.

Przykład: ......*Czytałem*......... ten artykuł trzy godziny i w końcu go .....*przeczytałem*......... . (czytać, przeczytać)

1. Mariusz .... ten list godzinę i w końcu go .... (pisać, napisać)
2. (my) .... czasu przeszłego w języku polskim 6 godzin i w końcu .... go .... (uczyć się, nauczyć się)
3. Marek kilka razy .... Ostatnio .... w maju. (żenić się / ożenić się)
4. Anna .... za mąż kilka razy. Ostatnio .... za mąż w zeszłym roku. (wychodzić, wyjść)
5. Dwa lata temu (my) .... często, a w zeszłym roku .... tylko raz. (spotykać się, spotkać się)
6. Nauczycielka zwykle .... do studentów po polsku, ale dzisiaj .... jedno zdanie po angielsku. (mówić, powiedzieć)

B.

1. Dwa lata temu, kiedy Jurek jeszcze studiował, często .... do rodziców. A wczoraj .... pierwszy raz od roku. (dzwonić, zadzwonić)
2. Pan Kowalski zwykle .... chleb w piekarni, ale dzisiaj .... go w sklepie spożywczym. (kupować, kupić)
3. Nauczyciel zwykle .... polecenie kilka razy, ale dzisiaj .... je tylko raz. (powtarzać, powtórzyć)
4. Jak długo (ty) .... tę książkę? Ile książek .... w zeszłym roku? (czytać, przeczytać)
5. O której godzinie ...., kiedy miałaś 10 lat? O której godzinie wczoraj ....? (wstawać, wstać)
6. O której godzinie Pan Bogdan .... swój sklep w zeszłym roku? O której godzinie .... sklep wczoraj? (otwierać, otworzyć)
7. Jak często Marek .... prysznic na wakacjach? O której godzinie .... wczoraj prysznic? (brać, wziąć)

4 **Proszę uzupełnić zdania czasownikami w czasie przeszłym (aspekt niedokonany lub dokonany). Uwaga! Jedno zdanie jest w czasie przyszłym.**

A.

Przykład: Marek często ....spóźniał.......... się (spóźniać się / spóźnić się) do szkoły.

1. Andrzej często .... (pisać / napisać) listy do przyjaciół.
2. Wczoraj nagle ktoś .... (pukać / zapukać) do drzwi.
3. Joanna będzie jutro .... (dzwonić / zadzwonić) do brata w Ameryce.
4. Marzena zaczęła wczoraj .... (uczyć się / nauczyć się) do egzaminu.
5. Wczoraj wreszcie (ja) .... (czytać / przeczytać) tę książkę.
6. Uczyliśmy się i nagle .... (dzwonić / zadzwonić) telefon.

B.

1. Zwykle (ja) o tym nie .... (rozmawiać / porozmawiać).
2. Andrzej .... i wysłał (pisać / napisać) list do przyjaciela.
3. Nareszcie .... (kończyć się / skończyć się) zima.
4. Czy często (ty) .... (myśleć / pomyśleć) o urlopie?
5. Najpierw (oni) .... (sprzątać / posprzątać) mieszkanie, a potem .... (iść / przyjść) do nich goście.
6. Jak długo (ona) .... (malować / namalować) ten obraz?
7. Cały weekend (on) .... (grać / pograć) na komputerze.
8. Pukaliśmy trzy minuty i wreszcie drzwi .... (otwierać się / otworzyć się).

5 **Proszę napisać swój życiorys (przynajmniej 12 zdań). Może Pan / Pani użyć następujących zwrotów (w odpowiedniej formie):**

urodzić się w..., skończyć szkołę podstawową, zdać egzamin / maturę,
pójść na studia, ożenić się / wyjść za mąż, zacząć pracować

6 **Proszę zaprojektować stronę internetową międzynarodowej firmy (np. polsko-czeskiej) zawierającą krótki życiorys (przynajmniej 12 zdań) dyrektora lub pracownika miesiąca.**

Branże do wyboru:
- mieszkaniowa
- turystyczna
- handlowa
- edukacyjna
- sportowa
- restauracyjna
- rozrywkowa

lekcja

17

Sport to zdrowie?

Gramatyka

1a Od podanych czasowników proszę utworzyć formy rzeczowników odczasownikowych (*-nie, -enie, -cie*).

Przykład: palić – ..palenie..............

1. mówić – ....
2. słuchać – ....
3. czytać – ....
4. pić – ....
5. pisać – ....
6. mieszkać – ....
7. ćwiczyć – ....

Inne formy

Przykład: pracować – ....praca.........

1. żyć – ....
2. podróżować – ....
3. chorować – ....

1b Proszę wybrać 5 rzeczowników z ćwiczenia 1a, a następnie utworzyć z nimi zdania.

1. ....
....
2. ....
....
3. ....
....
4. ....
....
5. ....
....

Słownictwo

2a Proszę połączyć ze sobą słowa z kolumn.

Przykład: lodowisko —— łyżwiarstwo

1. skocznia	a) maraton
2. basen	b) piłka nożna
3. boisko	c) pływanie
4. sala gimnastyczna	d) skoki narciarskie
5. ulica, miasto	e) tenis
6. kort	f) gimnastyka artystyczna

2b Proszę połączyć ze sobą słowa z kolumn.

Przykład: jeździć —— konno

1. zająć	a) rekord
2. jeździć	b) piłkę
3. zdobyć	c) środki dopingujące
4. pobić	d) pierwsze miejsce
5. wygrać	e) na nartach
6. brać	f) mecz
7. grać w	g) medal

2c Proszę napisać słowa związane z podanymi tematami.

Przykład: pływanie – ...woda, basen...............................

1. wyścigi samochodowe Formuły 1 – ....
....
2. żeglowanie – ....
3. łyżwiarstwo – ....
4. koszykówka – ....
5. tenis – ....
6. kolarstwo – ....
7. biegi – ....

CD **3** **Proszę posłuchać nagrania, a następnie uzupełnić tekst.**

Bardzo lubię .... w tenisa. Tenis to mój ukochany .... Uprawiam go od .... Trenuję dwa razy .... tygodniu .... kortach niedaleko mojego domu, a jeśli mam czas to ...., np. trzy albo cztery razy na tydzień. Lubię też .... konną. Bardzo lubię też jeździć .... Ale żadnego z tych sportów nie .... zawodowo. Robię to po prostu dla przyjemności i .... zdrowia. W .... jeżdżę na nartach, a ostatnio .... snowboardzie. Bardzo lubię też ...., szczególnie stylem klasycznym albo na plecach. .... basen chodzę w soboty przed południem. Ja po prostu kocham sport!

4 **Proszę napisać kilka reguł Pana / Pani ulubionej dyscypliny sportowej.**

....

....

....

....

....

....

5 **Jaki sport może Pan / Pani polecić tym grupom osób?**

Przykład: Dzieciom mogę polecić: ....*bieganie, pływanie, tenis*..........................

- Osobom, które dbają o figurę: ....
- Osobom starszym: ....
- Kobietom w ciąży: ....
- Osobom, które w pracy głównie siedzą przy biurku: ....
- Nauczycielom: ....
- Osobom zestresowanym: ....
- Osobom dynamicznym: ....
- Osobom spokojnym: ....

CD **6** **Proszę posłuchać nagrania, a następnie podać, jakie były wyniki zawodów.**

1. mecz koszykówki Polska : Słowacja – ....
2. mistrzostwa świata w łyżwiarstwie figurowym – ....
3. rajd Paryż–Dakar – ....
4. lekkoatletyczna sztafeta kobiet – ....
5. zawody jeździeckie juniorów – ....

lekcja 18

Czy lubisz uczyć się języka polskiego?

Słownictwo

1 Proszę uzupełnić list podanymi słowami.

poznać ✓Państwo miesiące nauki podstawowej prośbą roku Uczę angielskiego naukowego szacunku

Malucin, 15 października 2006

Aleksandra Tomaszewska
ul. Naruszewicza 15/2
20-119 Malucin

Fundacja Kultury i Języka Angielskiego
ul. Bogusławskiego 14
00-340 Warszawa

Szanowni ...Państwo...,

zwracam się z uprzejmą .... o przyznanie mi stypendium .... Jestem studentką drugiego .... anglistyki. W przyszłym roku chciałabym pojechać na cztery .... do Londynu, żeby lepiej .... język i kulturę angielską. .... się języka angielskiego od 6 lat, ale wiem, że tylko pobyt w Anglii pomoże mi lepiej poznać język, kraj i ludzi. W przyszłości chciałabym pracować jako nauczycielka .... w szkole .... w mojej rodzinnej wsi. Dlatego możliwość .... języka angielskiego w Anglii, a także być może w przyszłości studiowania tam, jest dla mnie bardzo ważna.

Z wyrazami ....
Aleksandra Tomaszewska

2a Proszę uzupełnić zdania.

Przykład: Kiedy uczymy się, ważne jest, żeby często ..powtarzać.. materiał.

1. Antek musiał nauczyć się wiersza ....
2. Najpierw zapamiętuję, potem pamiętam, ale kiedy nie powtarzam jakiejś informacji, szybko ją ....
3. W pamięci krótkotrwałej magazynujemy informację tylko przez .... minut.
4. Nie mogę się z tobą spotkać dziś wieczorem – .... do egzaminu.
5. Nie mogę jeździć samochodem, bo nie mam ....
6. Andrzej .... się wczoraj na kurs francuskiego.
7. – Czym się pan ....?
   – Jestem lekarzem.

CD **2b Proszę posłuchać nagrania i sprawdzić swoje odpowiedzi.**

Gramatyka

3 Podane słowa proszę wpisać w odpowiedniej formie.

Przykład: W szkole podstawowej Tomek lubił uczyć się ......*języka polskiego*...... . (język polski)

1. Czy znasz .... ? (języki obce)
2. Często zapominam .... (numery telefonów)
3. Poznajemy .... (język polski)
4. Zapisałem się na .... hiszpańskiego. (intensywny kurs)
5. Zawsze łatwo zapamiętuję .... (ważne daty)
6. Na kursie hiszpańskiego Marek poznał .... (miła dziewczyna)
7. .... wybrałeś? (jaki kurs)
8. Chodzę na .... (kurs weekendowy)
9. Do mojego profesora zwracam się tylko z .... (ważne pytania)
10. Często rozmawiacie o .... ? (polska gramatyka)
11. Masz pamięć do ....? (daty historyczne)

4 Proszę wpisać właściwy przyimek.

Przykład: ...*Na*... lekcji języka polskiego mówimy tylko po polsku.

1. Uczę się .... testu ze słownictwa, muszę się nauczyć 100 nowych słów .... pamięć.
2. .... kursie komputerowym nauczyliśmy się pisać .... komputerze.
3. Zapraszamy .... kurs samoobrony.
4. Niestety nie mam pamięci ani .... nazwisk, ani .... twarzy.
5. Czy możesz odpowiedzieć .... moje pytanie?
6. .... ten temat nie będę dyskutować.
7. Lubię uczyć się .... grupie.

5 Proszę przeczytać definicję z encyklopedii* i zrobić ćwiczenia 5a i 5b. Może Pan / Pani pracować ze słownikiem, ale nie musi Pan / Pani zrozumieć wszystkiego. Wystarczy, że zrozumie Pan / Pani tylko informacje potrzebne do zrobienia ćwiczeń 5a i 5b.

1 **Uczenie się**, proces zdobywania i zbierania doświadczeń. W procesie uczenia się zbieramy wiadomości, umiejętności czy opinie. Uczenie się może być procesem zaplanowanym albo mimo-
5 wolnym.

Obecnie istnieją dwie grupy teorii uczenia się:

1) teorie koneksjonistyczne, które mówią, że podstawą uczenia się są różnego typu połączenia między bodźcami i reakcjami (np. teorie I.P.
10 Pawłowa, B.F. Skinnera, L. Thorndike'a),

2) teorie poznawcze, które definiują uczenie się jako zmianę schematów poznawczych (np. teorie K. Lewina, E.Ch. Tolmana).

We współczesnej psychologii amerykańskiej
15 procesy uczenia się odgrywają ważną rolę w badaniach psychologicznych. Istnieje wiele typów i form uczenia się, na przykład:

1) uczenie się planowane, ukierunkowane na zdobycie wiedzy, umiejętności, sprawności itp.,

20 2) uczenie się mimowolne (pasywne), niezamierzone,

3) uczenie się pamięciowe (mechaniczne) metodą biernego powtarzania,

4) uczenie się przez zrozumienie, analizę, szukanie
25 sensu nowego materiału,

5) uczenie się sensoryczne (percepcyjne),

6) uczenie się metodą prób i błędów (porażek i sukcesów), występujące najczęściej u dzieci i zwierząt,

30 7) uczenie się przez imitowanie, czyli intencjonalne powtarzanie przez osobę uczącą się tego, co wcześniej robił ktoś inny,

8) uczenie się przez działanie (aktywne), tzn. użycie wiedzy do zadań praktycznych,

35 9) uczenie się przez przeżywanie (emocjonalne), identyfikowanie się, wyrażanie opinii co do wartości moralnych, estetycznych i innych.

Efekty uczenia się zależą od typu ucznia (właściwości psychofizyczne), od umiejętności
40 zapamiętywania oraz od koncentracji, od sytuacji uczenia się (struktura i typ materiału, miejsce, gdzie się uczymy, stres itp.).

*Na podstawie http://wiem.onet.pl/wiem/000b35.html

OGÓLNE ROZUMIENIE TEKSTU

 **5a Proszę wybrać informację, która jest w definicji.**

Przykład: Uczenie się to proces /cykl.

1. Uczenie się może być zaplanowane / zaprojektowane.
2. Istnieją dwie / cztery grupy teorii uczenia się.
3. B.F. Skinner jest / nie jest twórcą poznawczej teorii uczenia się.
4. Jest dużo / mało typów uczenia się.
5. Uczenie się mimowolne jest zaplanowane / pasywne.
6. Uczenie się przez działanie jest pasywne / aktywne.
7. Efekty uczenia zależą od sytuacji / teorii.

SZUKANIE W TEKŚCIE KONKRETNYCH INFORMACJI

 **5b Proszę odpowiedzieć na pytania.**

Przykład: Jak nazywają się teorie uczenia się? ......*Teorie koneksjonistyczne i teorie poznawcze.*......

1. Jak nazywają się psychologowie, którzy głoszą teorie poznawcze na temat uczenia się?

   ....

2. Proszę wymienić 3 typy i formy uczenia się.

   ....

3. Kto najczęściej uczy się metodą prób i błędów?

   ....

4. Jak nazywa się typ uczenia, który używa wiedzy do zadań praktycznych?

   ....

5. Czy koncentracja jest ważna w procesie uczenia się?

   ....

6. Co to znaczy „sytuacja uczenia się"?

   ....

CD **6 Proszę posłuchać faktów dotyczących pamięci i uczenia się. Proszę utworzyć zdania według wzoru.**

PAMIĘĆ I UCZENIE SIĘ*

1. Miłe fakty	a) magazynujemy informacje przez długi czas.
2. Stres	b) pomaga w procesie uczenia się.
3. Emocje pozytywne	c) pomagają w procesie uczenia się.
4. Najlepszą metodą	d) magazynujemy informacje na kilka minut.
5. W pamięci krótkotrwałej	e) polepszania pamięci jest trening.
6. W pamięci trwałej	f) pamiętamy lepiej.
7. Relaks	g) jest ważny w procesie uczenia się.
8. Aktywność fizyczna	h) przeszkadza w procesie uczenia się.

*Na podstawie *Zmagania z pamięcią*, „Focus" 2000, nr 4

 **7 Proszę napisać przynajmniej 15 zdań na temat: *Jaką rolę w moim życiu pełni nauka?* Proszę użyć nowych słów z lekcji.**

lekcja 19

Wszystkiego najlepszego!

Słownictwo

Ortografia

1a **Proszę podpisać poniższe ilustaracje. Które ze słów nie pasują do KALENDARZA ADWENTOWEGO?**

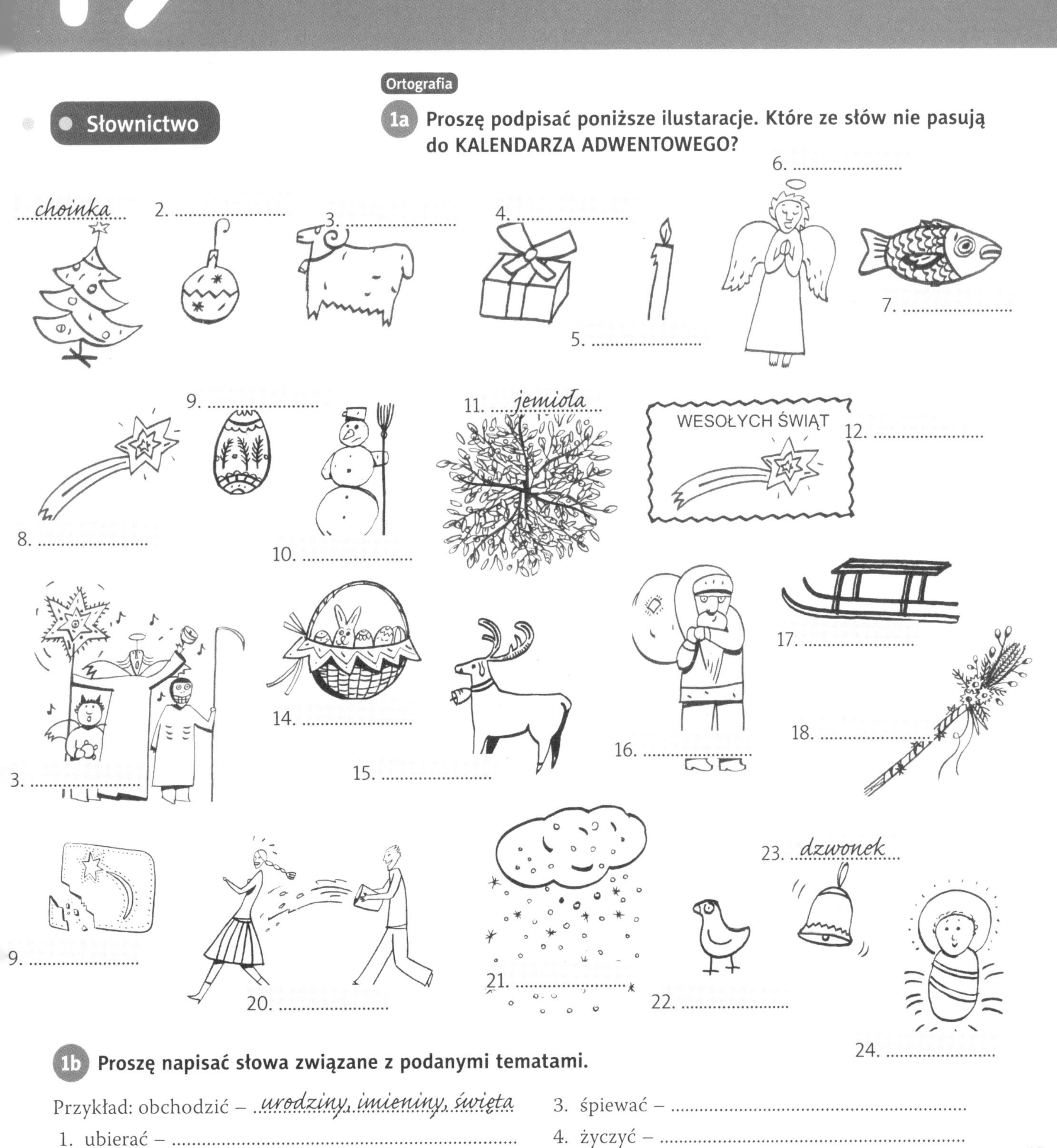

1b **Proszę napisać słowa związane z podanymi tematami.**

Przykład: obchodzić – *urodziny, imieniny, święta*

1. ubierać – ....
2. zapalać – ....
3. śpiewać – ....
4. życzyć – ....
5. malować – ....

2 **Proszę dopasować poniższe formy do kolumn w tabeli.**

Zosiu Pawle Panie Karolu Pani Inżynier Panie Dyrektorze
Pani Doktor Aneto Panie Ministrze Pani Profesor Piotrze Gustawie

	Szanowny	Szanowna	Drogi	Kochana
Przykład:	*Panie*	*Pani*	*Filipie*	*Agnieszko*
	....	....	....	....
	....	....	....	....
	....	....	....	....

Ortografia

3a **Duże czy małe litery? Proszę poprawić tę kartkę.**

M
~~m~~oi kochani,
z Okazji Świąt wielkanocy życzę wam Wszystkim spokojnej, Rodzinnej Wielkiej soboty oraz Wielkiej niedzieli i Mokrego Śmigusa-Dyngusa.

wasza ciocia Krysia

3b **Proszę napisać kartkę na Wielkanoc do pani konsul.**

Szanowna Pani Konsul,

....
....
....
....
....
....
....

Gramatyka

4 **Proszę ułożyć poprawne formy życzeń.**

Przykład: śmigusa – mokrego – dyngusa ....*Mokrego śmigusa-dyngusa!*

1. ja – ci – wszystkiego – życzę – najlepszego
   ....
2. życia – wielu – na – drodze – sukcesów – nowej
   ....
3. najlepsze – z – Świąt – życzenia – Bożego – okazji – Nowego – i – Narodzenia – Roku
   ....

Wymowa

CD **5** **Proszę posłuchać nagrania, a następnie powtórzyć na głos poniższe zdania.**

1. Tylko święci nie świętują świąt.
2. Chińskie choinki dobrze się sprzedają.
3. Barszcz czerwony i karp świeżo smażony to potrawy na wieczerzę wigilijną.
4. Przed świętami robi się gruntowne porządki.
5. Szczęśliwy Sylwester świętuje swoje imieniny w Sylwestra.
6. Jezus leżał w żłóbku, a do niego przyszli pasterze z trzodami.
7. Trzej Królowie przyszli z mirrą, kadzidłem i złotem.

6a Proszę posłuchać wypowiedzi osób na temat świąt, a następnie określić, o jakich świętach one mówią.

osoba	nazwa święta
1) Wioletta (22 l.)	a) urodziny
2) Bartek (35 l.)	b) imieniny
3) Iwona (55 l.)	c) walentynki
4) Julia (10 l.)	d) Dzień Świętego Patryka

6b Proszę jeszcze raz wysłuchać nagrania i odpowiedzieć na pytania.

Opinia Wioletty:

Przykład: Jak można w walentynki wyznać miłość?

Można wysłać kartkę, e-maila albo SMS-a.

1. Jak możesz spędzić walentynki, gdy masz chłopaka / dziewczynę?

2. Jak spędzasz walentynki, gdy nie masz chłopaka / dziewczyny?

Opinia Bartka:

1. Dokąd można iść w Dzień Świętego Patryka?

2. W co można grać?

3. Czego można słuchać?

Opinia Iwony:

1. Co dostaje od kolegów?

2. Co daje kolegom?

3. Dlaczego nie lubi tego święta?

Opinia Julii:

1. Z jaką książką związane jest jej imię?

2. Czy ona lubi swoje imię?

7 Które ze świąt z ćwiczenia 6a są „importowane" z Zachodu? Co Pan / Pani o nich myśli? Proszę napisać krótką opinię.

Myślę, że / Moim zdaniem

lekcja 20

To jest moja wizytówka.

Słownictwo

Ortografia

1 Przedmioty biurowe. Co to jest?

Przykład: fska – ...*faks*.....
1. drukraak – ....
2. torgasegre – ....
3. dłupisgo – ....
4. szmy – ....
5. kadystiek – ....
6. nerska – ....

2 Proszę uzupełnić tekst następującymi słowami:

polsku przemówienie √inżynierem prezesa.

Jestem ....*inżynierem*...., pełnię funkcję .... i od niedawna uczę się języka polskiego.

Nie nauczyłem się polskiego jeszcze na tyle, aby całe .... wygłosić po ...., więc dalej będę mówić po angielsku.

3 Proszę pogrupować poniższe frazy według kategorii A, B i C.

Szanowni i Drodzy Państwo Jeszcze raz dziękuję za uwagę Koleżanki i Koledzy Witam To ważny moment Panie Premierze Spotykamy się dziś na ceremonii Panie Ministrze √Dzień dobry

PRZEMÓWIENIE

A. Początek	B. Pierwsze zdanie	C. Koniec
Dzień dobry		

4 Jaka to okazja? Proszę dopasować nazwy poniższych sytuacji do wyrażeń.

urodziny przemówienie na konferencji √otwarcie fabryki otwarcie autostrady imieniny

Przykład: Otwarcie tej fabryki to ważny krok dla... – *otwarcie fabryki*
1. Życzę wszystkim szerokiej drogi! – ....
2. Wszystkiego najlepszego! – ....
3. Wznoszę toast – sto lat! – ....
4. Witam Państwa na konferencji na temat perspektyw rozwoju i konkurencyjności polskiej gospodarki na rynku europejskim. – ....

5 Proszę dopasować do siebie słowa o przeciwnym znaczeniu.

1. sprzedać
2. zysk
3. ludzie
4. rodzinny
5. tradycyjny

a) strata
b) kupić
c) nowoczesny
d) technologia
e) z obcym kapitałem

CD **6** **Proszę posłuchać dialogów, a następnie napisać, jakie są problemy w tym biurze.**

1. ....
2. ....
3. ....

7 **Jakie to firmy? Proszę dopasować do siebie słowa z kolumn.**

1. Pączek	a) kantor	I. Wszystkie języki. Tłumaczenia ustne i pisemne. Krótkie terminy. ....
2. Brylancik	b) biuro tłumaczeń	II. Tanio, solidnie i bez bólu. Całodobowo. ....
3. Lingua	c) biuro matrymonialne	III. Projekty domów i biur. Architektura wnętrz. ....
4. Nadzieja	d) biuro architektoniczne	IV. Złoto, srebro. Oryginalne pierścionki. Duży wybór obrączek. ....
5. Auto-tech	e) usługi stomatologiczne	V. Pyszne ciasta, ciastka i ciasteczka. Tradycyjne przepisy. ....
6. Ząbek	f) warsztat samochodowy	VI. Korzystne kursy. Czynny 24 godziny na dobę. ....
7. Projekt	g) zakład fryzjerski	VII. Atrakcyjni mężczyźni i kobiety. Także obcokrajowcy z Zachodu. ....
8. Waluta	h) cukiernia	VIII. Najlepsi fryzjerzy po szkoleniach w Paryżu. Miła obsługa. ....
9. Loki	i) sklep jubilerski	IX. Naprawy powypadkowe. Blacharstwo, mechanika.

Gramatyka

8 **Gdzie są formy dopełniacza w poniższych tytułach z gazet?**

Przykład: **Wejście Polski do Unii Europejskiej**

1. **Negocjacje z krajami Europy Centralnej**
2. **Dotacje dla rolnictwa**
3. **Zamknięcie negocjacji z Unią**
4. **Kryzys firm maklerskich**
5. **Plaga wirusów komputerowych**

Słownictwo

9 **Proszę napisać formy czasowników zakończonych na *-ować*, pochodzące z obcych języków.**

Przykład: *telefonować*

1. ....
2. ....
3. ....
4. ....
5. ....
6. ....
7. ....
8. ....
9. ....
10. ....

lekcja 1

1 Proszę posłuchać i zdecydować, kto to mówi.

Dialog 1
– Dzień dobry.
– Dzień dobry. Przepraszam, jak się pani nazywa?
– Nazywam się Maria Bukowska, a pani?
– Nazywam się Magda Kowalska.
– Miło mi.
– Jak się pani ma?
– Świetnie.
– Gdzie pani mieszka?
– W Krakowie.

Dialog 2
– Dobry wieczór.
– Dobry wieczór. Jak się pan ma?
– Tak sobie, a pani?
– Bardzo dobrze. Przepraszam. Nie wiem, jak ma pan na imię.
– Mam na imię Jan. A pani?
– Jestem Anna. Przepraszam, gdzie pan mieszka?
– Nie rozumiem. Proszę powtórzyć.
– Gdzie pan mieszka?
– Mieszkam w hotelu Forum.

2 Proszę uzupełnić zdania, posłuchać nagrania i sprawdzić swoje odpowiedzi.

Przykład: Proszę mówić wolniej.
1. Proszę powtórzyć.
2. Mam pytanie.
3. Gdzie mieszkasz?
4. Co to jest?
5. Czy masz telefon?
6. Jak masz na imię?
7. Jak się masz?
8. Jak się nazywasz?
9. Przepraszam, nie rozumiem.

4 Proszę posłuchać nagrania i napisać, jakie oni mają numery telefonu.

imię i nazwisko	numer komórki	telefon domowy
Anna Nowacka	0 6 0 7 8 7 6 2 3 4	0 1 2 5 4 3 2 3 1 2
Jerzy Kuźniak	0 5 0 1 5 2 1 0 0 1	0 1 2 2 3 4 1 6 5 8

6b Proszę posłuchać nagrania i sprawdzić swoje odpowiedzi.

Przykład: Jak masz na imię? Jak ma pan na imię? Jak ma pani na imię?
1. Jak się nazywasz? Jak się pan nazywa? Jak się pani nazywa?
2. Skąd jesteś? Skąd pan jest? Skąd pani jest?
3. Gdzie mieszkasz? Gdzie pan mieszka? Gdzie pani mieszka?
4. Jak się masz? Jak się pan ma? Jak się pani ma?
5. Czy masz telefon? Czy ma pan telefon? Czy ma pani telefon?
6. Jaki masz adres? Jaki ma pan adres? Jaki ma pani adres?
7. Czy masz paszport? Czy ma pan paszport? Czy ma pani paszport?

2 lekcja

2 Proszę napisać, jaki to przymiotnik. Proszę posłuchać nagrania i sprawdzić swoje odpowiedzi.

Przykład: średniego wzrostu
jeden – szczupły, dwa – wysoki, trzy – niski, cztery – gruby, pięć – młody, sześć – wysportowany, siedem – przystojny, osiem – ładna, dziewięć – wesoły, dziesięć – smutny, jedenaście – brzydki, dwanaście – stary

3b Proszę dopasować wyniki do zadań matematycznych. Proszę posłuchać nagrania i powtórzyć.

17 to jest 8+9, 11 tj. 2+9, 12 tj. 3+9, 15 tj. 5+10, 16 tj. 7+9, 13 tj. 3+10, 19 tj. 10+9, 14 tj. 4+10, 20 tj. 10+10, 18 tj. 9+9

5 Proszę ułożyć dialog we właściwej kolejności, posłuchać nagrania i sprawdzić swoje odpowiedzi.

– Cześć. Jestem Anna. Jak masz na imię?
– Cześć. Mam na imię Dorota.
– Miło mi.
– Bardzo mi miło.
– Gdzie mieszkasz?
– Mieszkam w Krakowie. A ty?
– W Warszawie. Skąd jesteś?
– Z Niemiec, ale mieszkam w Polsce. Studiuję.
– Co studiujesz?
– Filozofię i architekturę.

10b Proszę posłuchać nagrania i powtórzyć.

proszę powtórzyć, one przepraszają, dziękuję, państwo, słońce, imię, samogłoska, spółgłoska, proszę napisać, mówić, Gdańsk, Kraków, Częstochowa, Wisła, się, wieczór, dzień, świetnie, źle, skąd, oni są, ty jesteś, książka, samochód, amerykański, hiszpański, japoński, krzesło, stół, mężczyzna

3 lekcja

8 Proszę uzupełnić dialog, posłuchać nagrania i sprawdzić swoje odpowiedzi.

Paweł: Cześć, jak się masz?
Paul: Dziękuję, bardzo dobrze, a ty?
Paweł: Tak sobie. Przepraszam, czy wy się znacie?
Paul: Nie. Nie wiem, kto to jest.
Paweł: To jest mój kuzyn. Ma na imię David.
David: Bardzo mi miło.
Paul: Miło mi. Gdzie mieszkasz?
David: Przepraszam, nie rozumiem, mówię słabo po polsku.
Paul: Gdzie mieszkasz? W hotelu?
David: Tak, mieszkam w hotelu. A ty?
Paul: Mieszkam w akademiku. Co robisz w Łodzi?

David: Teraz uczę się języka polskiego.
Paul: A skąd jesteś?
David: Jestem z Anglii – jestem Anglikiem.

lekcja 4

6b Proszę posłuchać nagrania i sprawdzić swoje odpowiedzi.

Mam na imię Paweł, mam 25 lat, jestem studentem i studiuję w Krakowie na uniwersytecie. Moja siostra ma na imię Katarzyna. Ma 32 lata i jest świetną nauczycielką. Pracuje w szkole języków obcych. Nasza matka ma na imię Anna. Ona ma 54 lata i jest dobrą lekarką. Pracuje w szpitalu. Nasz ojciec ma na imię Jerzy, ma 57 lat, jest świetnym architektem i ma prywatną firmę. Mój ojciec ma brata. On ma na imię Bogdan. Wujek Bogdan ma 50 lat i jest inżynierem. Mieszka i pracuje w Warszawie. Wujek Bogdan ma żonę. Ona ma na imię Maria. Ciocia Maria ma 45 lat, jest dentystką i ma prywatny gabinet. Oni mają jedno dziecko. Mój kuzyn ma na imię Mariusz, ma 17 lat, jest uczniem i chodzi do liceum w Warszawie. Nasza babcia ma na imię Alina, ma 76 lat i jest emerytką. Nasz dziadek też jest emerytem. On ma na imię Jan i ma 79 lat.

9b Proszę posłuchać poprawnych odpowiedzi z ćwiczenia 9a i powtórzyć je na głos.

1. Ten samochód jest stary.
2. Moja rodzina jest duża.
3. Ona jest sympatyczną kobietą.
4. Oni są dobrymi rodzicami.
5. Mam małego psa.
6. Lubię angielską literaturę.
7. Znam tego wysokiego mężczyznę.
8. Mam wysokiego wujka.
9. Krzyś jest małym dzieckiem.
10. Żywiec to polskie piwo.

lekcja 5

2 Proszę uzupełnić zdania, posłuchać nagrania i sprawdzić swoje odpowiedzi.

Przykład: Marek bardzo lubi podróżować po Europie.
1. Czy lubicie chodzić do teatru?
2. Lubię grać w tenisa.
3. Czy lubisz słuchać muzyki klasycznej?
4. Małgorzata lubi czytać książki kryminalne.
5. Mój znajomy lubi czytać gazety, szczególnie „Rzeczpospolitą".
6. Lubię chodzić do teatru – na przykład do Teatru Starego.
7. Magda i Angieszka lubią uprawiać sport – lubią jeździć na rowerze.
8. Mój przyjaciel lubi tańczyć – na przykład walca.
9. Barbara lubi spotykać się z kolegami.
10. Andrzej lubi oglądać telewizję.

5 Proszę wybrać właściwe słowo, posłuchać nagrania i sprawdzić swoje odpowiedzi.

1. Anna lubi czytać gazety – interesuje się polityką. Oczywiście lubi też oglądać telewizję – na przykład wiadomości.
2. Mariusz lubi ekonomię. Lubi czytać czasopisma ekonomiczne.
3. Wojtek interesuje się kulturą hiszpańską. Lubi język hiszpański.
4. Agnieszka bardzo lubi grać w tenisa – lubi sport.
5. Katarzyna lubi jeździć na nartach. Interesuje się sportem.

6 Proszę wpisać właściwy przyimek, posłuchać nagrania i sprawdzić swoje odpowiedzi.

Przykład: Mój wujek lubi grać w tenisa.
1. Lubimy podróżować po Europie.
2. Grażyna świetnie gra na saksofonie.
3. Andrzej rzadko spotyka się z rodzicami.
4. Czy twój ojciec lubi chodzić do teatru?
5. Czy lubisz chodzić na dyskotekę?
6. Moja matka świetnie gra na gitarze.
7. Często spotykam się z kolegami.
8. Często chodzimy do restauracji.
9. Nie umiem grać w karty.
10. Czy lubisz chodzić do teatru?

6 

5b Proszę posłuchać dialogu z ćwiczenia 5a i sprawdzić poprawność wpisanych słów.

Kelner: Proszę? Co dla państwa?
Marek: Co dla ciebie?
Basia: Dla mnie zimny sok pomarańczowy i mała kawa.
Kelner: Kawa biała czy czarna?
Basia: Biała i jakieś dobre ciastko.
Kelner: A co dla pana?
Marek: Dla mnie piwo.
Kelner: Duże czy małe?
Marek: Duże. I lody owocowe.
Kelner: Proszę.
Marek: Przepraszam, czy wolno tu palić?
Kelner: Tak.

6 Proszę posłuchać dialogu w pizzerii, a następnie odpowiedzieć, jaką pizzę zamawia klient.

– Pizzeria „Wezuwiusz", słucham.
– Dobry wieczór, proszę pizzę Primę.
– Małą, średnią czy dużą?
– Średnią.
– Czy to wszystko?
– Tak, dziękuję.
– To będzie piętnaście złotych dziewięćdziesiąt groszy. Proszę podać numer telefonu.
– Trzysta trzydzieści trzy – trzydzieści trzy – trzydzieści jeden.
– Adres?

- Ulica Bracka piętnaście.
- Za dwadzieścia minut będzie pizza.
- Dziękuję.
- Dziękuję. Dobranoc.
- Dobranoc.

13 **Proszę posłuchać nagrania, a następnie na głos powtórzyć słowa:**

kasa – Kasia
wieczorem– wczoraj – wcześnie
pięć – pięść
sześć – cześć
dwanaście – dwadzieścia
trzynaście – trzydzieści
czternaście – czterdzieści
piętnaście – pięćdziesiąt
szesnaście – sześćdziesiąt
siedemnaście – siedemdziesiąt
osiemnaście – osiemdziesiąt
dziewiętnaście – dziewięćdziesiąt

lekcja 7

2 **Proszę napisać, która jest godzina, posłuchać nagrania i sprawdzić swoje odpowiedzi.**

oficjalnie	nieoficjalnie
0. Jest (14:15) czternasta piętnaście	piętnaście po drugiej / kwadrans po drugiej
1. Jest (13:20) trzynasta dwadzieścia	dwadzieścia po pierwszej
2. Jest (5:30) piąta trzydzieści	wpół do szóstej
3. Jest (16:00) szesnasta	czwarta
4. Jest (21:30) dwudziesta pierwsza trzydzieści	wpół do dziesiątej
5. Jest (21:15) dwudziesta pierwsza piętnaście	piętnaście po dziewiątej / kwadrans po dziewiątej
6. Jest (14:45) czternasta czterdzieści pięć	za piętnaście trzecia / za kwadrans trzecia
7. Jest (20:25) dwudziesta dwadzieścia pięć	dwadzieścia pięć po ósmej
8. Jest (13:05) trzynasta pięć	pięć po pierwszej
9. Jest (15:30) piętnasta trzydzieści	wpół do czwartej
10. Jest (23:35) dwudziesta trzecia trzydzieści pięć	za dwadzieścia pięć dwunasta
11. Jest (17:40) siedemnasta czterdzieści	za dwadzieścia szósta
12. Jest (18:00) osiemnasta	szósta
13. Jest (8:45) ósma czterdzieści pięć	za piętnaście dziewiąta
14. jest (19:30) dziewiętnasta trzydzieści	wpół do ósmej
15. Jest (20:10) dwudziesta dziesięć	dziesięć po ósmej

9a **Proszę posłuchać nagrania i uzupełnić tekst *Mój dzień*.**

Jak wygląda mój dzień? Codziennie budzę się o wpół do siódmej, ale wstaję dopiero o siódmej. A nie, przepraszam, nie codziennie – w weekendy zawsze śpię długo – do dziewiątej albo dziesiątej. Biorę prysznic, myję zęby i robię kawę. Robię też krótką gimnastykę. Potem piję kawę i planuję dzień. Śniadanie jem nie w domu, ale w pracy. Zawsze kupuję kanapkę w małym sklepie spożywczym blisko mojej pracy. Do pracy zwykle jeżdżę tramwajem. Od czasu do czasu, na przykład kiedy jestem spóźniona, jeżdżę taksówką. Jestem asystentką dyrektora i w pracy dużo mailuję i rozmawiam przez telefon. Zawsze w południe robię krótką przerwę. Zwykle chodzę do baru, który jest blisko – kupuję tam sałatkę albo barszcz czerwony. Wracam do domu po południu. Zwykle jestem w domu koło piątej, czasem o wpół do szóstej. Po południu trochę oglądam telewizję albo czytam gazetę. We wtorki zawsze chodzę pływać z przyjaciółką. Bardzo lubię rozmawiać przez telefon ze znajomymi. Czasem rozmawiam bardzo długo – dwie albo trzy godziny i jest już wieczór. Wieczorem chodzę na spacer z przyjacielem, który mieszka blisko mnie. Czasem biegamy też razem. Zwykle chodzę spać około jedenastej, no, może o wpół do dwunastej.

8 lekcja

4b **Proszę posłuchać dialogu z ćwiczenia 4a i sprawdzić kolejność zdań.**

- Słucham.
- Cześć Jacek, tu Wojtek.
- A, cześć. Co słychać?
- W porządku. Dzwonię, bo mam 2 bilety na koncert Myslovitz w klubie „Rock cafe". Może chcesz pójść?
- Jasne! Bardzo ich lubię. Kiedy?
- W tę sobotę.
- O której?

– O ósmej.
– Świetnie.
– To gdzie się spotkamy?
– Przed klubem za piętnaście ósma.
– Dobrze. Pa!
– Cześć.

9 Proszę posłuchać, a następnie przeczytać na głos:

1. Co proponujesz?
2. Gdzie się spotkamy?
3. Czy masz czas we wtorek?
4. O której jest pociąg pospieszny do Przemyśla?
5. Czy masz czas o trzeciej?

10 Co Pan / Pani słyszy: *-y* czy *-ę*? Proszę podkreślić słowa mówione przez lektora.

kawy , wodę, Wisłę, lampy, herbatę

lekcja 9

3c Proszę posłuchać odpowiedzi z ćwiczenia 3b i powtórzyć je za lektorem.

kostkę masła
pół kilo sera żółtego
20 deka szynki krakowskiej
butelkę czerwonego wina
dwa litry świeżego mleka
paczkę zielonej herbaty
kilogram hiszpańskich pomidorów
pudełko ciastek czekoladowych
sześć jajek
4 kawałki pizzy
litr lodów czekoladowych

5 Proszę posłuchać nagrania, a następnie powtórzyć zdania.

1. Proszę te trzy czerwone podkoszulki.
2. Hiszpańska herbata z hibiskusa jest dobra na alergię.
3. Gdzie jest przymierzalnia?
4. Czy mogę zobaczyć tę koszulę?
5. Podoba mi się twoja żółta spódnica.

lekcja 10

2b Proszę posłuchać nagrania i sprawdzić swoje odpowiedzi.

W zeszłym roku
w styczniu byliśmy dwa tygodnie w górach.
W lutym i w marcu mieliśmy dużo pracy.
W kwietniu często spotykaliśmy się ze znajomymi.
W maju byliśmy w Gdańsku.
W czerwcu uczyliśmy się do testu kwalifikacyjnego z polskiego.
W lipcu chodziliśmy na intensywny kurs polskiego.
W sierpniu mieliśmy cztery tygodnie urlopu.
We wrześniu i w październiku dużo pracowaliśmy.
W listopadzie często chodziliśmy do kina.
W grudniu jeździliśmy na nartach w Zakopanem.

13 Proszę posłuchać nagrań i uzupełnić dialogi.

A.
– Słucham.
– Dzień dobry. Tu Bogdan. Czy jest Marek?
– Cześć. To ja. Co słychać? Miałeś już urlop?
– Tak. Byłem w Australii.
– Gdzie mieszkałeś? W hotelu?
– Nie, nie mieszkałem w hotelu. Spałem u kuzyna.
– A gdzie jadłeś? W restauracji?
– Nie. Sam robiłem śniadanie i obiad, a kolację robił mój kuzyn.

B.
– Cześć, Maciek. Jak się masz? Co robiłeś wczoraj?
– Nie byłem w pracy. Miałem wolny dzień. Długo spałem, czytałem książkę. A wieczorem byłem w kinie z kolegami. A ty?
– Ja pracowałem od ósmej rano do czwartej. A potem oglądałem telewizję.

C.
– Cześć, Magda!
– Cześć, Jacek. Jak się masz?
– Dziękuję, świetnie. Co u ciebie? Co robiłaś wczoraj wieczorem?
– Wczoraj byłam w pubie do trzeciej w nocy. Jestem dziś bardzo zmęczona.
– Dużo piłaś?
– Nie, tylko trzy piwa, ale bardzo dużo tańczyłam.

D.
– Maria Nowak, słucham.
– Cześć. Tu Paweł. Gdzie byłaś we wtorek? Dzwoniłem do ciebie. Byłaś w domu?
– Nie. We wtorek byłam w Warszawie. Miałam ważne spotkanie.
– Szkoda, bo miałem dwa bilety na świetny koncert.

11 

3 Proszę uzupełnić dialog, posłuchać nagrania i sprawdzić swoje odpowiedzi.

– Dzień dobry, chciałabym kupić telefon komórkowy. Jakie państwo macie taryfy w ofercie?
– Mamy dwa typy taryf. Dla klientów prywatnych i dla firm. Jaki typ panią interesuje?
– To będzie telefon prywatny.
– Czy będzie pani często dzwonić?
– Myślę, że tak.
– W takim razie proponuję taryfę „Aktywną". Będzie pani mieć 70 minut wliczonych w abonament.
– A co z SMS-ami?
– Będzie pani mogła napisać 15 SMS-ów za darmo, a za każdy kolejny będzie pani musiała płacić.
– Ile?

– 30 groszy.
– A ile będę musiała płacić za abonament?
– 50 złotych na miesiąc.

lekcja 12

1 Gdzie dokładnie na wyspie piratów jest skarb? Proszę posłuchać nagrania, a następnie narysować, jak dojść do skarbu piratów.

Musisz iść prosto przez plażę do dużej grupy palm kokosowych. Potem musisz skręcić w lewo i przejść przez most. Za mostem są ruiny starego kościoła – tam musisz skręcić w prawo i iść prosto 200 metrów do skrzyżowania. Następnie musisz przejść przez skrzyżowanie i iść prosto pół kilometra. Na końcu drogi jest wielkie jezioro. Skarb piratów jest na wyspie na tym jeziorze.

6 Proszę posłuchać nagrania i sprawdzić poprawność wpisanych liter.

0. w biurze, 1. w kościele, 2. w mieście, 3. w Polsce, 4. w Holandii, 5. w restauracji, 6. na krześle, 7. w sklepie, 8. w bluzce, 9. w taksówce

7 Proszę posłuchać, co te osoby robiły i gdzie były rok temu, a następnie proszę uzupełnić tabelę.

1. Michał: rok temu byłem na wakacjach na Ibizie. Było wspaniale!
2. Kasia: rok temu byłam poważnie chora: miałam operację i leżałam w szpitalu. To było straszne.
3. Pani Mirka: co robiłam w zeszłym roku? Moment... A, tak, byłam na konferencji w Brukseli. Negocjowaliśmy najważniejsze punkty traktatu unijnego.
4. Pan Janicki: rok temu robiłem to samo, co w tym roku – siedziałem w domu i zajmowałem się dziećmi. Mam pięciu synów, więc zawsze jest dużo pracy.

8 Proszę posłuchać zdań, a następnie powtórzyć je na głos.

1. Andrzej Szczyp czyta tekst o Turcji.
2. Trzy krzesła stoją w kuchni.
3. Dziennikarz i nauczyciel jeżdżą na łyżwach.
4. Panna Anna rozmawia dziś o Dżakarcie.
5. Irek indywidualnie interesuje się informacjami o Indiach.
6. W Szwecji Stefan zawsze mówi po szwedzku.
7. Cześć, czy to ty mieszkasz w tym mieście?
8. Grupa jazzowa ma koncert w kościele.
9. Te niebieskie dżinsy wiszą w szafie.
10. Cała cytryna leży na stole.

lekcja 13

5 Proszę uzupełnić dialogi, posłuchać nagrań i sprawdzić swoje odpowiedzi.

WARSZAWA – DWORZEC GŁÓWNY PKP – KASA

Bogdan: Dzień dobry. Proszę dwa bilety do Krakowa.
Kasjerka: Jaki pociąg? Pośpieszny czy ekspres?
B: Ekspres.
K: Która klasa? Pierwsza czy druga?
B: Druga.
K: Przedział dla palących czy niepalących?
B: Dla palących. Proszę o miejsca przy oknie.
K: Bilety zwykłe czy ulgowe?
B: Zwykłe. Czy bilety są z miejscówką?
K: Tak, oczywiście.
B: Ile płacę?
K: 165 złotych.

POCIĄG, PRZEDZIAŁ DLA NIEPALĄCYCH

Pan: Przepraszam, czy mogę zapalić?
Adam: Nie. To jest przedział dla niepalących. Tu nie można palić. Bardzo proszę nie palić.
Pan: A czy mogę otworzyć okno?
Adam: Proszę bardzo.
Konduktor: Dzień dobry. Proszę bilety do kontroli.
Adam: Proszę, to jest mój bilet.
Konduktor: To jest bilet ulgowy. Proszę pokazać legitymację studencką.

6b Proszę posłuchać nagrania i sprawdzić swoje odpowiedzi.

JEDZIEMY NA URLOP!

Dzwoni telefon

– Dzień dobry, mówi Marek. To ty Andrzej??
– Tak, cześć. Co u ciebie słychać? Jak się ma Marta?
– U nas świetnie! Jedziemy na urlop!
– Na urlop... Ja też mam ochotę na urlop. Na długo jedziecie?
– Na dwa tygodnie.
– Świetnie, 14 dni wolnego! Ale teraz przecież jest brzydka pogoda. Pada deszcz, nie ma słońca.
– Jedziemy za granicę. Może do Grecji albo do Tunezji. Tam na pewno świeci słońce.
– No tak, tam naprawdę jest teraz piękna pogoda. Chcecie jechać pod namiot?
– Nie, chcemy mieszkać w pensjonacie albo w hotelu.
– Rozumiem..., a co z jedzeniem? Gdzie będziecie jeść, a może, jeśli będziecie mieszkać w pensjonacie, będziecie gotować sami?
– Nie, chcemy wakacje z wyżywieniem.
– Aha, pokój ze śniadaniem.
– Nie, chcemy mieć pełne wyżywienie – śniadanie, obiad i kolację.
– Aha, a czym jedziecie? Samochodem czy autobusem?
– Lecimy samolotem.
– To wszystko musi dużo kosztować. Urlop dla dwóch osób, zakwaterowanie w hotelu, pełne wyżywienie i jeszcze samolot.
– Tak, no właśnie... Andrzej, mam sprawę do ciebie, czy możesz pożyczyć mi trochę pieniędzy?

14 lekcja

6b Proszę posłuchać nagrania i sprawdzić swoje odpowiedzi.

To jest pokój Pawła. Po prawej stronie przy ścianie stoi łóżko. Obok łóżka stoi mały stolik, a na nim stoi lampka nocna. Nad łóżkiem na ścianie wisi zdjęcie. Po lewej stronie pokoju stoi szafa i regał. Na szafie stoi kwiatek. Między szafą a regałem stoi małe biurko. Na biurku stoi komputer. Nad biurkiem na suficie wisi lampa. Na środku pokoju stoi stół. Przy stole stoją cztery krzesła. Pod stołem śpi pies.

7b Proszę posłuchać nagrania i sprawdzić swoje odpowiedzi.

0. Nad stołem kuchennym wisi lampa.
1. Między szafą a łóżkiem stoi fotel.
2. Pod krzesłem śpi pies.
3. Na krześle śpi kot.
4. Lubię siedzieć w tym wygodnym fotelu.
5. Często siedzimy na tej zielonej sofie.
6. Toaleta jest po lewej stronie przedpokoju.
7. Za naszym domem jest ogród.
8. Rower trzymam w piwnicy albo w garażu.
9. Na podłodze leży dywan.
10. Obok regału z książkami stoi fotel.

lekcja 15

1a Proszę posłuchać tekstu, a następnie narysować na mapie, jaka jutro będzie pogoda.

1b Proszę posłuchać jeszcze raz, a następnie odpowiedzieć, jaka będzie temperatura.

Witam Państwa. Mam dla Państwa dobre wiadomości: jutro rano będzie jeszcze zimno na wschodzie – około 5 stopni, ale potem będzie już słonecznie i ciepło w całym kraju. Tylko na zachodzie lokalne opady deszczu. Temperatura w dzień od 10 stopni na północy do 20 stopni na południu. W środę i czwartek będzie jeszcze cieplej, a pod koniec tygodnia nawet gorąco – do 25 stopni w centrum kraju.

7b Proszę posłuchać odpowiedzi z ćwiczenia 7a i sprawdzić swoje odpowiedzi.

1. Co pani dolega?
2. Moją matkę bolą plecy.
3. Jaka dziś jest pogoda?
4. Latem często świeci słońce.
5. Jak się czujesz?
6. Dziś jest pochmurno, ale wczoraj było słonecznie.
   albo: Dziś jest słonecznie, ale wczoraj było pochmurno.
7. Bolą mnie oczy, bo wczoraj za długo oglądałem / oglądałam telewizję.

lekcja 16

1b Proszę posłuchać nagrania i sprawdzić swoje odpowiedzi.

ŻYCIE MARIANA

Marian urodził się w Prządkowicach Dolnych koło Giżewsza. Tam chodził do szkoły podstawowej. Kiedy ją skończył, zdał egzamin do liceum. Po maturze studiował geografię na Uniwersytecie Warszawskim. W Warszawie poznał dziewczynę, z którą najpierw chodził i z którą potem się ożenił. Rok po ślubie jego żona spodziewała się dziecka. Urodziła syna. Kiedy jego syn chodził do szkoły podstawowej, Marian za dużo pracował i dlatego zachorował na serce. Musiał pojechać do szpitala. Wyzdrowiał po miesiącu, ale potem niestety bardzo szybko zestarzał się. Marian umarł nagle. Miał tylko 51 lat.

2b Proszę posłuchać nagrania i sprawdzić swoje odpowiedzi.

pisać – napisać; czytać – przeczytać;
rozmawiać – porozmawiać; szukać – poszukać;
słuchać – posłuchać; pytać – zapytać; czekać – poczekać;
myśleć – pomyśleć; jechać – pojechać; iść – pójść;
pić – wypić; kraść – ukraść; kończyć – skończyć;
odpowiadać – odpowiedzieć; zapominać – zapomnieć;
otwierać – otworzyć; zamykać – zamknąć; kupować – kupić;
dostawać – dostać; wstawać – wstać; dawać – dać;
ubierać się – ubrać się; mówić – powiedzieć; brać – wziąć

17 lekcja

3 Proszę posłuchać nagrania, a następnie uzupełnić tekst.

Bardzo lubię grać w tenisa. Tenis to mój ukochany sport. Uprawiam go od kilku lat. Trenuję dwa razy w tygodniu na kortach niedaleko mojego domu, a jeśli mam czas to częściej, np. trzy albo cztery razy na tydzień. Lubię też jazdę konną. Bardzo lubię też jeździć na nartach. Ale żadnego z tych sportów nie uprawiam zawodowo. Robię to po prostu dla przyjemności i dla zdrowia. W zimie jeżdżę na nartach, a ostatnio na snowboardzie. Bardzo lubię też pływać, szczególnie stylem klasycznym albo na plecach. Na basen chodzę w soboty przed południem. Ja po prostu kocham sport.

6 Proszę posłuchać nagrania, a następnie podać, jakie były wyniki zawodów.

1. Weekendowy mecz koszykówki między drużynami Polski i Słowacji zakończył się wynikiem pięćdziesiąt siedem do sześćdziesięciu ośmiu dla naszych sąsiadów.
2. W mistrzostwach świata w łyżwiarstwie figurowym złoto zdobyła zawodniczka z Japonii.
3. Rajd Paryż – Dakar po raz pierwszy wygrała kobieta!
4. Francuzki zdobyły pierwsze miejsce w lekkoatletycznej sztafecie kobiet.
5. Zawody jeździeckie juniorów do lat dwunastu wygrała młoda Litwinka Galia Szułajtis na koniu Karino.

18 lekcja

2b Proszę posłuchać nagrania i sprawdzić swoje odpowiedzi.

Przykład: Kiedy uczymy się, ważne jest, żeby często powtarzać materiał.

1. Antek musiał nauczyć się wiersza na pamięć.
2. Najpierw zapamiętuję, potem pamiętam, ale kiedy nie powtarzam jakiejś informacji, szybko ją zapominam.

3. W pamięci krótkotrwałej magazynujemy informację tylko przez kilka minut.
4. Nie mogę się z tobą spotkać dziś wieczorem – uczę się do egzaminu.
5. Nie mogę jeździć samochodem, bo nie mam prawa jazdy.
6. Andrzej zapisał się wczoraj na kurs francuskiego.
7. Czym się pan zajmuje? Jestem lekarzem.

6 Proszę posłuchać faktów dotyczących pamięci i uczenia się. Proszę utworzyć zdania według wzoru.

PAMIĘĆ i UCZENIE SIĘ*
Miłe fakty pamiętamy lepiej.
Stres przeszkadza w procesie uczenia się.
Emocje pozytywne pomagają w procesie uczenia się.
Najlepszą metodą polepszania pamięci jest trening.
W pamięci krótkotrwałej magazynujemy informacje na kilka minut.
W pamięci trwałej magazynujemy informacje przez długi czas.
Relaks jest ważny w procesie uczenia się.
Aktywność fizyczna pomaga w procesie uczenia się.

*Na podstawie: *Zmagania z pamięcią*, „Focus" 2000, nr 4

lekcja 19

5 Proszę posłuchać nagrania, a następnie powtórzyć na głos poniższe zdania.

1. Tylko święci nie świętują świąt.
2. Chińskie choinki dobrze się sprzedają.
3. Barszcz czerwony i karp świeżo smażony to potrawy na wieczerzę wigilijną.
4. Przed świętami robi się gruntowne porządki.
5. Szczęśliwy Sylwester świętuje swoje imieniny w Sylwestra.
6. Jezus leżał w żłóbku, a do niego przyszli pasterze z trzodami.
7. Trzej Królowie przyszli z mirrą, kadzidłem i złotem.

6a Proszę posłuchać wypowiedzi osób na temat świąt, a następnie określić, o jakich świętach one mówią.

6b Proszę jeszcze raz wysłuchać tekstu i odpowiedzieć na pytania.

1. To świetna okazja, żeby wyznać komuś miłość. Można wysłać kartkę, mail albo SMS. A wieczorem oczywiście iść do kina lub na romantyczną kolację. Tylko głupio, jak w ten dzień jest się samej. Wtedy to jest koszmar: zadzwonić do koleżanek nie można, bo wszystkie są ze swoimi chłopakami, w telewizji tylko hollywoodzkie, romantyczne komedie. Wyjść do miasta też nie ma sensu, bo wszędzie siedzą zakochane pary.
2. Tego dnia wychodzimy z kumplami do pubu przede wszystkim, żeby pograć w darty – po polsku rzutki. Jest dużo ludzi i gra jest ciekawsza, bo konkurencja większa. Można posłuchać też jakiejś muzyki, zwykle szant. Picie piwa nie jest aż tak ważne.
3. Tego dnia dostaję prezenty i kwiaty od kolegów z pracy, ale też muszę kupić dla nich jakieś ciasto, zwykle tort, i kawę. Nie lubię tego święta – nie chcę pamiętać, ile mam lat.
4. Moja mama mówi, że mam imię z takiej romantycznej książki *Romeo i Julia*. Mnie się podoba, ale najbardziej lubię, jak dostaję prezenty.

20 

6 Proszę posłuchać dialogów, a następnie napisać, jakie są problemy w tym biurze.

1.
– Pani Gosiu, gdzie jest ten dokument dla mnie?
– Jeszcze go nie wydrukowałam, pani dyrektor.
– A dlaczego?
– Niestety, drukarka znów się zepsuła.
– To proszę zadzwonić do serwisu.

2.
– Cześć, Karol, w ogóle nie można się do was dodzwonić. Co się dzieje?
– Rano zepsuła się cała centrala telefoniczna. Przez trzy godziny telefony nie działały w całej firmie.

3.
– Dzień dobry, pani profesor. Czy dostała pani mój mail wczoraj?
– Niestety, nie. Nie mogłam się zalogować, więc też nie odebrałam poczty. Podobno serwer się zawirusował.
– Ach, rozumiem. Więc może prześlę pani ten dokument faksem?
– Świetny pomysł.

lekcja 1

1

Dialog 1: dobry, pani, Nazywam się, Jestem, mi, Jak się pani ma?, Gdzie pani mieszka?
Dialog 2: wieczór, ma, sobie, dobrze, imię, imię, Anna, gdzie, rozumiem, mieszka, w

2

1. Proszę, 2. Mam, 3. Gdzie, 4. Co, 5. masz, 6. Jak, 7. Jak, 8. się, 9. nie

3

1. cztery / 8–4=4, 2. jeden / 10–9=1, 3. dwa / 5–3=2, 4. dziewięć / 4+5=9, 5. osiem / 0+8=8, 6. zero / 9–9=0, 7. siedem / 3+4=7, 8. sześć / 7–1=6, 9. dziesięć / 5+4+1=10, 10. dziesięć / 6+4=10

4

imię i nazwisko	numer komórki	telefon domowy
Anna Nowacka	0 6 0 7 8 7 6 2 3 4	0 1 2 5 4 3 2 3 1 2
Jerzy Kuźniak	0 5 0 1 5 2 1 0 0 1	0 1 2 2 3 4 1 6 5 8

5

1. mieszka, 2. jest, 3. nazywa się, 4. jest, 5. są, 6. masz, 7. mam, 8. przepraszam, 9. rozumiem, 10. ma, 11. są

6a

1. Jak się nazywasz? 2. Skąd jesteś? 3. Gdzie pan mieszka? / Gdzie pani mieszka? 4. Jak się pan ma? / Jak się pani ma? 5. Czy masz telefon? 6. Jaki masz adres? 7. Czy ma pan paszport? / Czy ma pani paszport?

lekcja 2

1

1. Tak, to jest stół. 2. Tak, to jest krzesło. 3. Nie, to nie są drzwi. To jest dom. 4. Nie, to nie jest dom. To są drzwi. 5. Tak, to są okulary. 6. Tak, to jest artysta. 7. Tak, to jest kobieta. 8. Nie, to nie jest dziecko. To jest kobieta / studentka. 9. Nie, to nie jest dentysta. To jest dentystka. 10. Nie, to nie jest studentka. To jest dziecko.

2

1. szczupły, 2. wysoki, 3. niski, 4. gruby, 5. młody, 6. wysportowany, 7. przystojny, 8. ładna, 9. wesoły, 10. smutny, 11. brzydki, 12. stary

3a 3b

1. b: siedemnaście – 17 – osiem plus dziewięć – 8+9
2. i: jedenaście – 11 – dwa plus dziewięć – 2+9
3. d: dwanaście – 12 – trzy plus dziewięć – 3+9
4. h: piętnaście – 15 – pięć plus dziesięć – 5+10
5. f: szesnaście – 16 – siedem plus dziewięć – 7+9
6. e: trzynaście – 13 – trzy plus dziesięć – 3+10
7. g: dziewiętnaście – 19 – dziesięć plus dziewięć – 10+9
8. j: czternaście – 14 – cztery plus dziesięć – 4+10
9. a: dwadzieścia – 20 – dziesięć plus dziesięć – 10+10
10. c: osiemnaście – 18 – dziewięć plus dziewięć – 9+9

4

poziomo: przepraszam, dom, my, ta, mi, się, książka, nazwisko
pionowo: proszę, okno, pytanie, ta, adres, mam, tak

5

6 – 5 – 2 – 4 – 1 – 3 – 8 – 7 – 9 – 10

6

1. On ma na imię Paweł. 2. Nazywamy się Wielochowie, a wy? 3. Czy to jest książka? 4. Oni są z Niemiec. 5. Bardzo mi miło. 6. Nic nie szkodzi. 7. Co znaczy „pies"? 8. Przepraszam, nie rozumiem, proszę powtórzyć. 9. Gdzie one teraz mieszkają? 10. Nie wiem, jak się nazywa ten mężczyzna.

7

1. mieszka, 2. nazywają się, 3. są, 4. rozumiecie, 5. jest, 6. mamy, 7. mam, 8. przepraszamy, 9. są, 10. rozumiemy, 11. ma, 12. czytają, 13. pytacie, 14. czytasz, 15. czytam, 16. są

8

rodzaj męski: 3, 6, 7, 14, 15, 18, rodzaj żeński: 2, 4, 5, 9, 17, 19, **rodzaj nijaki:** 1, 8, 10, 11, 12, 13, 16, 20

9

1. dobr**y**, 2. dobr**a**, 3. polsk**a**, 4. czyst**y**, 5. dobr**y**, 6. interesując**a**, 7. dobr**y**, 8. dobr**e**, 9. klasyczn**a**, 10. włosk**a**, 11. amerykańsk**i**, 12. fataln**y**, 13. interesując**e**, 14. interesując**y**, 15. hiszpańsk**ie**, 16. now**a**, 17. polsk**ie**, 18. niemieck**i**, 19. interesując**y**, 20. now**y**, 21. now**y**, 22. polsk**ie**, 23. niemieck**ie**, 24. now**y**, 25. elegancka, 26. eleganck**i**, 27. dobr**e**

10a

proszę powtórzyć, one przepraszają, dziękuję, państwo, słońce, imię, samogłoska, spółgłoska, proszę napisać, mówić, Gdańsk, Kraków, Częstochowa, Wisła, się, wieczór, dzień, świetnie, źle, skąd, oni są, ty jesteś, książka, samochód, amerykański, hiszpański, japoński, krzesło, stół, mężczyzna

3 lekcja

1

Bardzo interesuję się językiem polskim. Dlaczego? Bo interesuję się Polską i Polakami. Jestem Anglikiem, ale mam kontakty z Polską. Teraz mieszkam w Polsce. Mam firmę komputerową we Wrocławiu. Czy mówię dobrze po polsku? Wszyscy mówią, że mówię świetnie, ale ja wiem, że nie znam dobrze gramatyki, ale teraz uczę się polskiego na kursie.

2

Hasło: zawody po polsku
1. biznesmen, 2. nauczyciel, 3. kierowca, 4. rolnik, 5. student, 6. dentysta, 7. poeta, 8. fotograf, 9. poetka, 10. profesor, 11. lekarka, 12. studentka, 13. dziennikarka, 14. urzędnik

3

1. b, 2. a, 3. d, 4. c, 5. j, 6. k, 7. i, 8. e, 9. f, 10. g, 11. h

4

1. Polką, 2. niemiecka firma, 3. Amerykaninem, 4. angielski student, 5. Anglikiem, 6. hiszpańskie miasto, 7. Rosjanką, 8. polska rzeka

5

A. 1. muzyką klasyczną, 2. polską historią, 3. niemieckim sportem, 4. dobrym kierowcą, 5. dobrą nauczycielką, 6. literaturą rosyjską, 7. językiem polskim, 8. językiem angielskim, 9. szczupłym mężczyzną, 10. niską kobietą, 11. dobrą studentką, 12. dobrym poetą, 13. dobrą poetką, 14. włoską aktorką, 15. dobrą dentystką

B. 1. Niemkami, 2. Polakami, 3. sympatycznymi Polkami, 4. kreatywnymi studentami, 5. ambitnymi studentkami, 6. japońskimi autami, 7. dobrymi nauczycielami, 8. dobrymi nauczycielkami, 9. wysokimi mężczyznami, 10. ładnymi i sympatycznymi kobietami, 11. ambitnymi studentami, 12. aktualnymi informacjami

6

A. 1. lubię, 2. lubi, 3. lubicie, 4. lubią, 5. lubisz
B. 1. mówią, 2. mówi, 3. mówię, 4. mówią, 5. mówisz
C. 1. robicie, 2. robisz, 3. robi, 4. robią, 5. robię
D. 1. uczycie się, 2. uczymy się, 3. uczą się, 4. uczy się, 5. uczę się

7

1. Cześć. 2. Gdzie pan mieszka? / Gdzie pani mieszka? 3. Gdzie pracujesz? 4. Gdzie pan studiuje? / Gdzie pani studiuje? 6. Co robisz? 7. Kim pan jest z zawodu? / Kim pani jest z zawodu? 8. Czy mówisz po polsku? 9. Czy zna pan język polski? / Czy zna pani język polski? 10. Czy lubi pan język polski? / Czy lubi pani język polski? 11. Dlaczego uczysz się polskiego?

8

masz, bardzo, ty, sobie, czy, wiem, To, imię, miło, gdzie, nie, słabo, w, ty, robisz, uczę, języka, Anglii

lekcja 4

1

rodzice, dzieci, małżeństwo

2

1. h, 2. c, 3. i, 4. f, 5. g, 6. d, 7. e, 8. b, 9. a, 10. j

3

78 – siedemdziesiąt osiem, 12 – dwanaście, 39 – trzydzieści dziewięć, 46 – czterdzieści sześć, 199 – sto dziewięćdziesiąt dziewięć, 27 – dwadzieścia siedem, 60 – sześćdziesiąt, 88 – osiemdziesiąt osiem, 101 – sto jeden

4

1. osiemdziesiąt PLN, 2. siedemdziesiąt PLN, 3. czterdzieści pięć PLN, 4. sto dwadzieścia PLN, 5. trzydzieści PLN, 6. sto jedenaście PLN, 7. sto pięćdziesiąt PLN, 8. sto dziewięćdziesiąt dziewięć PLN, 9. sto sześćdziesiąt cztery PLN

5

1. nauczyciel, 2. dziennikarka, 3. pisarz, 4. gospodyni domowa, 5. urzędnik, 6. aktorka

6

A. mama, lekarką, firmę, pracuje, prywatny, emerytką

C.

Imię	Ile ma lat?	Kto to jest?	Kim on / ona jest?	Gdzie pracuje / studiuje?
Paweł	25	—	studentem	na uniwersytecie w Krakowie
Jerzy	57	ojciec	świetnym architektem	ma prywatną firmę
Katarzyna	32	siostra	nauczycielką	w szkole języków obcych
Bogdan	50	wujek / brat ojca	inżynierem	w Warszawie
Jan	79	dziadek	emerytem	—
Alina	76	babcia	emerytką	—
Mariusz	17	kuzyn	uczniem	—
Anna	54	mama	lekarką	w szpitalu
Maria	45	ciocia	dentystką	ma prywatny gabinet

D. Paweł, Katarzyna, Anna, Jerzy, Bogdan, Maria, Mariusz, Alina, Jan

7

1. brata i siostrę, 2. auto, 3. język polski, 4. włoską kawę, 5. małe dziecko, 6. gazetę, 7. popularną aktorkę, 8. ekonomię, 9. tango, 10. sport

8

1. Kogo, 2. Kogo, 3. Co, 4. Jaki, 5. Jaką, 6. Jakie

9a

1. stary, 2. duża, 3. sympatyczną, 4. dobrymi, 5. małego, 6. angielską, 7. wysokiego, 8. wysokiego, 9. małym, 10. polskie

10

1. c, 2. c, 3. b, 4. c, 5. a, 6. c, 7. a, 8. b, 9. c, 10. a

11

Maciek, Ala, Krzyś, Maria, Anna, Wiesław, Marek, Marta, Marcin

12

1. c, 2. b, 3. e, 4. d, 5. a

lekcja 5

1

1. czytać, 2. oglądać telewizję, 3. grać na gitarze, 4. zdjęcie, 5. kawiarnia

2

1. chodzić, 2. grać, 3. słuchać, 4. czytać, 5. gazety, 6. teatru, 7. sport, rowerze, 8. tańczyć, 9. spotykać się, 10. oglądać

3

1. Rzadko uprawiam sport. 2. Nigdy w weekendy nie słucham muzyki. / Rzadko w weekendy słucham muzyki. 3. Profesor nigdy nie mówi wolno. / Profesor zawsze mówi szybko. 4. Andrzej często dzwoni do koleżanki z liceum. 5. Zawsze / zwykle biegam w weekendy.

4

1. francuskim sportem, 2. niemiecką ekonomię, 3. wino i sałatkę grecką, 4. muzykę klasyczną, 5. muzyką hiszpańską, 6. interesującą książkę, 7. kolorowy magazyn, 8. aktualną gazetę, 9. literaturą angielską, 10. kawę, 11. dobry samochód, 12. filozofią

5

1. oglądać, 2. ekonomię, czytać, 3. kulturą, język, 4. grać, sport, 5. jeździć, sportem

6

1. po, 2. na, 3. z, 4. do, 5. na, 6. na, 7. z, 8. do, 9. w, 10. do

7

A. 1. lądują, 2. parkuje, 3. parkują, 4. studiujesz, 5. interesuje się, 6. pracujecie, 7. pracujemy, 8. surfujemy, 9. mailuje, 10. interesuję się

B. 1. czytam, 2. jesz, 3. pływa, 4. słuchamy, 5. śpiewają, 6. biegacie, 7. grają, 8. grasz, 9. gracie, 10. oglądasz

C. 1. lubisz, 2. mówię, 3. mówicie, 4. lubią

8

A. 1. piszę, 2. chodzą, 3. chce, 4. lubicie, 5. masz, 6. mówi, 7. chodzi, 8. tańczą, 9. studiujesz, 10. mieszkasz, 11. uczę się, 12. chodzicie, 13. mówią, 14. pisze, 15. studiuje

B. 1. tańczą, 2. mamy, 3. pracuje, 4. chcę, 5. interesujecie się, 6. może, 7. są, 8. czytacie, 9. uczysz się, 10. robią, 11. znasz, 12. wiedzą, 13. przepraszam, rozumiem, 14. możesz, 15. chcę

6 lekcja

1

b) 5, c) 3, d) 1, e) 2, f) 8, g) 10, h) 6, i) 9, j) 7

2

a) trzysta jedenaście
b) siedemset dwadzieścia dwa
c) pięćset osiemdziesiąt dziewięć
d) tysiąc sześćset pięćdziesiąt

3

napoje – mleko, herbata, wino, piwo, woda mineralna
owoce – pomarańcza, banan, jabłko, cytryna
warzywa – kapusta, cebula, ziemniaki, sałata, ogórek, pomidor
inne – chleb, bułka, masło, kurczak, lody, ciasto

4

adrte<u>herbata</u>piookle<u>kotlet</u>bnej<u>zupa</u>kh<u>pomidorowa</u>mwi
do<u>ziemniaki</u>aacnie<u>kurczak</u>fdy<u>frytki</u>

5a

dla ciebie, pomarańczowy, mała, czy, mlekiem, mnie, małe, wolno

6

Klient zamawia średnią pizzę Prima.

7

jeść: ty **jesz**, my **jemy**, oni, one **jedzą**
pić: ja **piję**, on, ona, ono **pije**, wy **pijecie**

8

1. Studentka ogląda dobry film.
2. Czytamy dobrą książkę.
3. Mój ojciec pije herbatę z cytryną.
4. Czy coś jeszcze?
5. Reszta dla pani.
6. Na śniadanie jem ser żółty.
7. Co do picia?
8. Co na deser?
9. Do kolacji piję kawę bez cukru.
10. Proszę wodę mineralną.
11. Jaki masz e-mail?

9

1. Niemcem, Niemką, 2. Polakiem, Polką, 3. włoską aktorką, 4. małą kawę, 5. herbatę z cytryną, 6. sok pomarańczowy z lodem, 7. kawę z mlekiem, 8. bułkę z szynką, 9. wodę mineralną z cytryną

10

1. Kogo ona zna?
2. Kogo ona lubi?
3. Co on pije?
4. Co on czyta?
5. Co masz?

11

1. Jaką kawę lubisz?
2. Jakie auto ma Piotr?
3. Jaki ser jesz?
4. Jaki chleb kupujesz?
5. Jakiego psa lubisz?
6. Jaki masz telewizor?

12

1. złotych, groszy, 2. złote, grosze, 3. złotych, grosze, 4. złote, grosze, 5. złotych, groszy, 6. złotych, groszy

lekcja 7

1

poziomo: spać, wracać, sobota, rozmawiać
pionowo: spacer, prysznic, brać, pracować, taksówka, umieć

2

1. trzynasta dwadzieścia / dwadzieścia po pierwszej
2. piąta trzydzieści / wpół do szóstej
3. szesnasta / czwarta
4. dwudziesta pierwsza trzydzieści / wpół do dziesiątej
5. dwudziesta pierwsza piętnaście / kwadrans po dziewiątej / piętnaście po dziewiątej
6. czternasta czterdzieści pięć / za kwadrans trzecia / za piętnaście trzecia
7. dwudziesta dwadzieścia pięć / dwadzieścia pięć po ósmej / za pięć wpół do dziewiątej
8. trzynasta pięć / pięć po pierwszej
9. piętnasta trzydzieści / wpół do czwartej
10. dwudziesta trzecia trzydzieści pięć / za dwadzieścia pięć dwunasta / pięć po wpół do dwunastej
11. siedemnasta czterdzieści / za dwadzieścia szósta
12. osiemnasta / szósta
13. ósma czterdzieści pięć / za kwadrans dziewiąta / za piętnaście dziewiąta
14. dziewiętnasta trzydzieści / wpół do ósmej
15. dwudziesta dziesięć / dziesięć po ósmej

3

1. czwartek, 2. piątek, 3. czwartek, 4. niedziela, 5. sobota, 6. wtorek, 7. poniedziałek, 8. środa, 9. sobotę / niedzielę / weekend

5

1. zęby, 2. zakupy, 3. prysznic, 4. telefon, 5. telewizję, kina, 6. taksówką, 7. się, 8. wstaję, 9. czekam, 10. codziennie

6

A. 1. bierzesz, 2. śpi, 3. śpię, 4. jedziemy, 5. idziecie, 6. śpisz, 7. jedzie, 8. idę, 9. myje się, 10. bierzecie
B. 1. spotykam, 2. spotykam, 3. spotykamy się ze, 4. spotykam, 5. spotyka się z
C. 1. jeździ, chodzi, idzie, 2. jeździć, chodzę, 3. jeździmy, 4. chodzę, jadę, 5. chodzi, idzie, 6. jeździć, 7. chodzicie, 8. jeżdżą, jadą, 9. chodzę, 10. jeździmy, jedziemy
D. 1. znam, 2. umie, 3. umiem, 4. wiem, 5. umiesz, 6. znacie, 7. umiecie, 8. zna, 9. wie, 10. wie, 11. wiesz, 12. wiedzą
E. 1. biegają, biorą, 2. czytam książkę, idę spać, 3. kupuję, czytam, 4. robi, ogląda, 5. śpi, wstaje, 6. idziemy, pijemy, 7. kupujesz, oglądasz

7

1. z, na, do, 2. we, ze, na, 3. ze, przez, 4. do, 5. o / po, 6. w, 7. w, przed, 8. po, do

8

1. nim, 2. nim, 3. mną, 4. nią, 5. tobą, 6. wami, 7. nią, 8. nimi, 9. nim, 10. nami

9a

wstaję, dziesiątej, prysznic, piję, dzień, kupuję, jeżdżę, spóźniona, mailuję, rozmawiam, robię, chodzę, piątej, oglądam telewizję, wieczór, przyjacielem, biegamy, spać, o wpół do

9b

o wpół do siódmej – o szóstej trzydzieści, o wpół do szóstej – o siedemnastej trzydzieści, około jedenastej – około dwudziestej trzeciej, o wpół do dwunastej – o dwudziestej trzeciej trzydzieści;

nic się nie zmienia 3 razy: o siódmej, o dziewiątej, do dziesiątej

8 lekcja

1

1. pociąg, do, ile kosztuje
2. numer, pomyłka, przepraszam
3. taksówkę, ulicę / aleję; Jaki numer telefonu?
4. wieczór, obudzić

2

A. Słucham. – Proszę.
B. Pa! – Nie ma za co. – Pomyłka. – Do widzenia.
C. Gdzie? – Proszę powtórzyć! – Co mówisz? – Kto? – Kiedy? – Nie rozumiem!

3

1. pros**ę**, niepal**ą**cych, e**ks**presowy
2. mo**ż**e, p**ó**jdziemy, poniedzia**ł**ek
3. pi**ę**tnastej, kolacj**ę**, japo**ń**skiej
4. **ch**ce, przyjecha**ć**, **ś**rodę
5. kt**ó**rej

4a

9. – Świetnie.
3. – A, cześć. Co słychać?
10. – To gdzie się spotkamy?
5. – Jasne! Bardzo ich lubię. Kiedy?

13. – Cześć.
6. – W tę sobotę.
7. – O której?
8. – O ósmej.
12. – Dobrze. Pa!
11. – Przed klubem za piętnaście ósma.
4. – W porządku. Dzwonię, bo mam dwa bilety na koncert Myslovitz w klubie „Rock cafe". Może chcesz pójść?

5

1. do, 2. na, 3. za, 4. o, do / od, do, 5. od, do, 6. z, do, na, 7. w, 8. o / od / do

6

1. O której masz czas?
2. Gdzie się spotkamy?
3. O której jest pociąg do Krakowa?
4. Proszę bilet normalny na pociąg pospieszny do Warszawy.
5. Przepraszam, ale nie mam czasu.
6. Może pójdziemy do kawiarni na kawę?
7. Czy ma pani czas w piątek o siedemnastej?
8. Nie lubię czerwonego wina.
9. Co robisz dziś po południu?
10. Dziękuję, wszystko w porządku.

7

mleko – mleka
sałatę – sałaty
masło – masła
chleb – chleba
szynkę – szynki
wino – wina
żółty ser – żółtego sera
ryż – ryżu

8

1. mlek**o**, mlek**a**, 2. student**em**, student**em**, 3. pani**ą** Małgosi**ę**, pani**ą** Małgosi**ę**, kuzynk**ą**, 4. pani**ą** Sylwi**ę**, pan**i** Sylwi**i**, 5. kaw**ę** z cukr**em**, kaw**ę** bez cukr**u**, 6. brat**a**, brat**a**, 7. śniadani**e**, śniadani**a**, 8. spotkani**e** z klient**em**, spotkani**a**

10

kawy, wodę, Wisłę, lampy, herbatę

lekcja 9

1a

1. kwiaciarnia, 2. sklep odzieżowy, 3. sklep komputerowy, 4. apteka, 5. salon optyczny, 6. sklep obuwniczy

1b

1. krawat, 2. podkoszulek, 3. kurtka, 4. sweter, 5. kostium

1d

1. d, 2. a, 3. b, 4. e, 5. c

1c

największy, -a, -e
mniejszy, -a, -e
najdroższy, -a-, -e
tani, -a, -e

2a

kilogram	butelka	litr	paczka	kawałek
masła	mleka	mleka	herbaty	masła
kurczaka	wina	(wina)		kurczaka
chleba	piwa	(piwa)		chleba
ziemniaków				szynki
szynki				pizzy
bananów				jabłka
jabłek				pomidora
pomidorów				

2b

1. sportowych butów, 2. szerokich spodni, 3. białych bluzek, 4. kolorowych podkoszulków, 5. ogórków, 6. ziemniaków, 7. pomidorów, 8. ryb, 9. jabłek, 10. jajek, 11. bananów

3a

ma / butelkę / coś / dziękuję

3b

1. sera żółtego, 2. szynki krakowskiej, 3. czerwonego wina, 4. świeżego mleka, 5. zielonej herbaty, 6. hiszpańskich pomidorów, 7. ciastek czekoladowych, 8. jajek, 9. pizzy, 10. lodów czekoladowych

4

1. Mam na sobie czerwony kostium.
2. On nosi garnitur do pracy.
3. Podoba mi się twoja spódnica.
4. Dziękuję, to bardzo miłe.
5. Podobają mu się twoje dżinsy.
6. Czy mogę przymierzyć?
7. Ile kosztują te buty?

6

1. e, 2. d, 3. a, 4. b, 5. c

10 lekcja

1

1. grudniu, 2. marcu, 3. maju, 4. wrześniu, 5. październiku

2a

9 – 1 – 3 – 11 – 7 – 4 – 5 – 10 – 6 – 2 – 8

3

poziomo: szczęście, dawno, zeszły, ostatnio, poważnie
pionowo: prawie, coś, za, raz, pech

4

1. mieszkałeś, 2. mieszkałem, 3. robiliście, 4. pracował, 5. pracowałem, 6. spaliśmy, 7. spałeś, 8. oglądał, 9. mieliśmy, 10. pisał, 11. gotowaliście, 12. byliśmy, 13. byłeś, 14. był

5

miał, spał, robił, oglądał, rozmawiał, oglądał, czytał, pisał, brał, spał

6

1. pracowałyście, 2. pracowałam, 3. pracowała, 4. tańczyły, 5. uczyła się, 6. jadłaś, 7. spała, 8. spała, 9. były, 10. mieszkałyśmy, 11. byłam, 12. uczyłaś się, 13. była, 14. spacerowała

7

pisała, pracowała, rozmawiała, pracowała, robiła, jechała, robiła, myła, rozmawiała, czytała, tańczyła

8

spacerowali, zwiedzali, chodzili, tańczyli, pili, rozmawiali, robili, mieszkali, mieszkały, robiły, chodziły, robiły, były, byli

9

pracowała, uczyła, lubiła, miała, miała, miał, był, pracował, miał, miał, miała, była, studiowała, uczyła się

11

1. miała, umiała, 2. wiedzieliśmy, 3. widziały, 4. musiał, 5. leżał, 6. rozumiałyście, 7. miałem / miałam, 8. chciałeś, 9. chciałaś, 10. chcieliście, 11. miał, 12. umieliśmy, 13. wiedziała, 14. wiedziałaś, 15. leżała

12

A. 1. mógł, 2. mogła, 3. mogłem / mogłam, 4. mogły, 5. mogłyście
B. 1. jedliśmy, 2. jadł, 3. jadła, 4. jedliście, 5. jadłem / jadłam
C. 1. szedłeś / szłaś, 2. szła, 3. szliśmy, 4. szedł, 5. szedłem / szłam

13

A. miałeś, byłem, mieszkałeś, spałem, jadłeś, robiłem, robił
B. robiłeś, byłem, miałem, spałem, czytałem, pracowałem, oglądałem
C. robiłaś, byłam, piłaś, tańczyłam
D. byłaś, dzwoniłem, byłaś, byłam, miałam, miałem

lekcja 11

1a

czas przeszły: w zeszłym roku, w zeszłym tygodniu, wczoraj, przedwczoraj

czas teraźniejszy: dzisiaj, teraz, obecnie, w tym momencie

czas przyszły: w przyszłym roku, za dwa lata, w przyszłym miesiącu, za rok, za chwilę, jutro, za miesiąc, w przyszłym tygodniu, pojutrze

2

Gdzie jesteś? Co będziesz robić po południu? Będziecie w środę u Magdy? Będę o czwartej. Cześć, co słychać? Nie mogę być dzisiaj u ciebie. Przepraszam.

3

komórkowy, taryfy, klientów, firm, telefon, dzwonić, abonament, darmo, będzie, ile, płacić

4

1. będą, 2. będziesz, 3. będziecie, 4. będą, 5. będzie, 6. będzie, 7. będą, 8. będę, 9. będzie, 10. będziecie, 11. będziemy, 12. będą, 13. będą, 14. będę

5a

1. mieszkały, mieszkają, będą mieszkać, 2. jedliśmy / jadłyśmy, jemy, będziemy jeść, 3. spała, śpi, będzie spać, 4. szukali, szukają, będą szukać, 5. uczyłem się / uczyłam się, uczę się, będę się uczyć

5b

1. chcieli, chcą, będą chcieli, 2. musieliśmy / musiałyśmy, musimy, będziemy musieli / musiały, 3. mogła, może, będzie mogła, 4. chciała, chce, będzie chciała, 5. musiał, musi, będzie musiał, 6. mogliście / mogłyście, możecie, będziecie mogli / mogły

12 lekcja

1

2

na północy
na północnym zachodzie | na północnym wschodzie
na zachodzie | na wschodzie
na południowym zachodzie | na południowym wschodzie
na południu

3

1. iść, skręcić, 2. Na, 3. dojść, prosto, po, stronie, 4. przystanek, stąd

4

3. Węgrzech, 4. Czechach, 5. grudniu, 6. dworcu, peronie, 9. słowniku/Internecie, 10. Ameryce

5

1. w kości**e**le, 2. w mi**e**ście, 3. w Pols**c**e, 4. w Holand**ii**, 5. w restaura**cji**, 6. na krze**śl**e, 7. w sklep**i**e, 8. w bluz**c**e, 9. w taksów**c**e.

7

Kto?	**Gdzie był / była?**	**Co robił / robiła?**
Michał	na Ibizie	miał wakacje.
Kasia	w szpitalu	była chora
Pani Mirka	na konferencji w Brukseli	negocjowała punkty traktatu unijnego
Pan Janicki	w domu	zajmował się dziećmi

9

Afryce, Ameryce, Australii, Europie, Berlinie, Moście Karola, Pradze, Luwrze, Wenecji, Rzymie, Londynie, Barcelonie, Poznaniu, Gdańsku, Tatrach, Mazurach, Polsce, kraju

10

z, do, do, na, o, w, na, po

lekcja 13

1

Zakwaterowanie: hotel, namiot, domek kempingowy, pensjonat
Wyżywienie: śniadanie, obiad, kolacja, pełne
Podróżuję: autobusem, pociągiem, samolotem, samochodem, za granicę
Pokój: z łazienką, jednoosobowy, dwuosobowy, dla niepalących

2

1. pieniądze, 2. weekend, 3. miesiąc, 4. słownik, 5. lipiec, 6. góry, 7. prysznic, 8. stolica, 9. ulgowy, 10. przedział, 11. plecak, 12. ulgowy

3

morze, słońce, pić, dużo, dzieci, opala, chłopakami

4

ceny, nauczycielem, planujesz, do, może, dla, musi

5

Kasa: bilety, do, jaki, ekspres, klasa, przedział, czy, dla, zwykłe, miejscówką, ile
Pociąg: dla, mogę, palić, okno, bilety, ulgowy

6a

2 – 4 – 12 – 6 – 11 – 3 – 7 – 8 – 1 – 9 – 10 – 5 – 13 – 17 – 14 – 15 – 16

6b

JEDZIEMY NA URLOP!

Dzwoni telefon.

– Dzień dobry, mówi Marek. To ty Andrzej??
– Tak, cześć. Co u ciebie słychać? Jak się ma Marta?
– U nas świetnie! Jedziemy na urlop!
– Na urlop... Ja też mam ochotę na urlop. Na długo jedziecie?
– Na dwa tygodnie.
– Świetnie, 14 dni wolnego! Ale teraz przecież jest brzydka pogoda. Pada deszcz, nie ma słońca.
– Jedziemy za granicę. Może do Grecji albo do Tunezji. Tam na pewno świeci słońce.
– No tak, tam naprawdę jest teraz piękna pogoda. Chcecie jechać pod namiot?
– Nie, chcemy mieszkać w pensjonacie albo w hotelu.
– Rozumiem..., a co z jedzeniem? Gdzie będziecie jeść, a może, jeśli będziecie mieszkać w pensjonacie, będziecie gotować sami?
– Nie, chcemy wakacje z wyżywieniem.
– Aha, pokój ze śniadaniem.
– Nie, chcemy mieć pełne wyżywienie – śniadanie, obiad i kolację.
– Aha, a czym jedziecie? Samochodem czy autobusem?
– Lecimy samolotem.
– To wszystko musi dużo kosztować. Urlop dla dwóch osób, zakwaterowanie w hotelu, pełne wyżywienie i jeszcze samolot.
– Tak, no właśnie... Andrzej, mam sprawę do ciebie, czy możesz pożyczyć mi trochę pieniędzy?

7

1. do, na, 2. u, 3. w, w, 4. w, do, 5. w, w, na, 6. na, w, u, 7. na, 8. na, 9. nad, w, 10. u

8

1. wróżki, 2. fryzjera, 3. morze, 4. morzem, 5. góry, 6. górach, 7. uniwersytet, wykład, 8. uniwersytecie, wykładzie, 9. dworzec, dworcu

9

1. że, 2. więc, 3. kiedy, 4. ale, 5. bo, 6. albo

10

1. Gdzie nigdy nie byliście? 2. Gdzie lubisz spędzać wakacje? 3. Co zawsze bierzesz ze sobą na wakacje? 4. Gdzie często jecie obiad? 5. Z kim lubisz spędzać wakacje? 6. U kogo / gdzie mieszkaliście na ostatnim urlopie? 7. Kiedy spędzasz urlop w górach? 8. Czym / jak jedziecie w przyszłym roku na urlop? 9. Kiedy jedziecie na urlop? 10. Na jak długo jedziecie na urlop?

lekcja 14

1

poziomo: pokój, sypialnia, tu, kuchnia, piwnica, łazienka
pionowo: jadalnia, dom, garaż, przedpokój

2

remoncie, ogrodem, trzy, dzienny, wyposażona, łazienka, centrum, zaraz, dzwonić

3

1. biurko, 2. łóżko, 3. zdjęcie, 4. sypialnia, 5. łóżko

4

1. sypialni, 2. biurku, komputerze, 3. garażu, 4. pokoju, 5. lustrze, 6. łazience, 7. umywalce, 8. fotelu, 9. stole, 10. szafie

5a

1. balkony, 2. mieszkania, 3. okna, 4. zdjęcia, 5. ogłoszenia, 6. meble, 7. szafy, 8. stoły, 9. krzesła, 10. pokoje, 11. łóżka, 12. fotele, 13. lustra, 14. tarasy, 15. łazienki, 16. sypialnie, 17. kuchnie, 18. prysznice, 19. garaże, 20. szafki

5b

1. czasopisma mieszkaniowe, 2. stare meble, 3. stare i nowe mieszkania, domy, 4. antyczne szafy, krzesła, 5. piękne szafki, 6. używane pralki, lodówki, magnetowidy, 7. duże garaże

6a

przy, obok, na, nad, na, po, na, między, na, nad, na, na, przy, pod

7a

1. szafą, łóżkiem, 2. krzesłem, 3. krześle, 4. tym wygodnym fotelu, 5. tej zielonej sofie, 6. lewej stronie, 7. naszym domem, 8. piwnicy, garażu, 9. podłodze, 10. regału, książkami

lekcja 15

1a

1b

Od 10 stopni na północy do 20 stopni na południu.

2a

1. e, 2. c, 3. b, 4. f, 5. d, 6. a

4

1. zę**by**, 2. r**zęsy**, 3. g**orączka**, 4. **le**kar**s**twa, 5. pa**cjent**, 6. **lato**, **zima**

5a

1. zimno, 2. słoneczne, 3. deszczowy, 4. szybko, 5. szybkie, 6. dobrze, 7. mało, 8. mała

5b

1. ciepło, 2. mało, 3. dobrze, 4. deszczowo, 5. ładnie, 6. źle, 7. słonecznie, 8. świetnie

7a

1. Co pani dolega?
2. Moją matkę bolą plecy.
3. Jaka dziś jest pogoda?
4. Latem często świeci słońce.
5. Jak się czujesz?
6. Dziś jest pochmurno, ale wczoraj było słonecznie.
   albo: Dziś jest słonecznie, ale wczoraj było pochmurno.
7. Bolą mnie oczy, bo wczoraj za długo oglądałem / oglądałam telewizję.

8

1. Jan jest architektem.
2. Od kilku miesięcy.
3. Bolą go plecy, ręce i nogi.
4. Ćwiczenia fizyczne, rehabilitację i więcej spacerów.
5. Nie ma na to czasu.
6. Prosi o informację na temat ćwiczeń, które może wykonywać przy biurku i o listę książek.

16 lekcja

1a

5 – 1 – 6 – 4 – 3 – 2 – 8 – 7 – 9

1c

niedokonane: chodził – chodzić, studiował – studiować, chodził – chodzić, spodziewała się – spodziewać się, chodził – chodzić, pracował – pracować, musiał – musieć, miał – mieć
dokonane: urodził się – urodzić się, skończył – skończyć, zdał – zdać, poznał – poznać, ożenił się – ożenić się, urodziła – urodzić, zachorował – zachorować, pojechać, wyzdrowiał – wyzdrowieć, zestarzał się – zestarzeć się, umarł – umrzeć

2a

pisać – napisać; czytać – przeczytać; rozmawiać – porozmawiać; szukać – poszukać; słuchać – posłuchać; pytać – zapytać; czekać – poczekać; myśleć – pomyśleć; jechać – pojechać; iść – pójść; pić – wypić; kraść – ukraść; kończyć – skończyć; odpowiadać – odpowiedzieć; zapominać – zapomnieć; otwierać – otworzyć; zamykać – zamknąć; kupować – kupić; dostawać – dostać; wstawać – wstać; dawać – dać; ubierać się – ubrać się; mówić – powiedzieć; brać – wziąć

3

A. 1. pisał, napisał, 2. uczyliśmy, nauczyliśmy, 3. żenił się, ożenił się, 4. wychodziła, wyszła, 5. spotykaliśmy się, spotkaliśmy się, 6. mówiła, powiedziała
B. 1. dzwonił, zadzwonił, 2. kupował, kupił, 3. powtarzał, powtórzył, 4. czytałeś / czytałaś, przeczytałeś / przeczytałaś, 5. wstawałaś, wstałaś, 6. otwierał, otworzył, 7. brał, wziął

4

A. 1. pisał, 2. zapukał, 3. dzwonić, 4. uczyć się, 5. przeczytałem / przeczytałam, 6. zadzwonił
B. 1. rozmawiałem / rozmawiałam, 2. napisał, 3. skończyła się, 4. myślałeś / myślałaś, 5. sprzątali, przyszli, 6. malowała, 7. grał, 8. otworzyły się

lekcja 17

1a

1. mówienie, 2. słuchanie, 3. czytanie, 4. picie, 5. pisanie, 6. mieszkanie, 7. ćwiczenie
Inne formy: 1. życie, 2. podróż, 3. choroba

2a

1. d, 2. c, 3. b, 4. f, 5. a, 6. e

2b

1. d, 2. e, 3. g, 4. a, 5. f, 6. c, 7. b

3

grać, sport, kilku lat, w, na, częściej, jazdę, na nartach, uprawiam, dla, zimie, na, pływać, na

6

1. 57 : 68
2. złoty medal dla Japonii
3. wygrała kobieta
4. pierwsze miejsce zdobyły Francuzki
5. wygrała młoda Litwinka Galia Szułajtis na koniu Karino

lekcja 18

1

prośbą, naukowego, roku, miesiące, poznać, Uczę, angielskiego, podstawowej, nauki, szacunku

2a

1. na pamięć, 2. zapominam, 3. kilka, 4. uczę się, 5. prawa jazdy, 6. zapisał, 7. zajmuje

3

1. języki obce, 2. numery telefonów, 3. język polski, 4. intensywny kurs, 5. ważne daty, 6. miłą dziewczynę, 7. jaki kurs, 8. kurs weekendowy, 9. ważnymi pytaniami, 10. polskiej gramatyce, 11. dat historycznych

4

1. do, na, 2. na, na, 3. na, 4. do, do, 5. na, 6. na, 7. w

5a

1. zaplanowane, 2. 2, 3. nie jest, 4. dużo, 5. pasywne, 6. aktywne, 7. sytuacji

5b

1. Lewin, Tolman, 2. planowane, ukierunkowane na zdobycie wiedzy, umiejętności, sprawności; mimowolne; pamięciowe; przez zrozumienie, analizę, szukanie sensu nowego materiału; sensoryczne; metodą prób i błędów; przez imitowanie; przez działanie; przez przeżywanie, identyfikowanie się, wyrażanie opinii, 3. dzieci i zwierzęta, 4. uczenie się przez działanie (aktywne), 5. tak, 6. struktura i typ materiału, miejsce, gdzie się uczymy, stres itp.

6

2. h, 3. c, 4. e, 5. d, 6. a, 7. g, 8. b

19 lekcja

1a

1. choinka, 2. bombka, 3. baranek, 4. prezent, 5. świeca, 6. anioł, 7. karp, 8. Gwiazda Betlejemska, 9. pisanka, 10. bałwan, 11. jemioła, 12. kartka świąteczna, 13. kolędnicy, 14. koszyk, 15. renifer, 16. Święty Mikołaj, 17. sanki, 18. palma, 19. opłatek, 20. śmigus-dyngus, 21. śnieg, 22. kurczak, 23. dzwonek, 24. Jezus
Nie pasuje nr 3, 9, 14, 18, 20, 22.

2

Szanowny Panie Karolu, Panie Dyrektorze, Panie Ministrze
Szanowna Pani Inżynier, Pani Doktor, Pani Profesor
Drogi Pawle, Piotrze, Gustawie
Kochana Zosiu, Aneto

3a

Moi **K**ochani,
z **o**kazji Świąt **W**ielkanocy życzę **W**am **w**szystkim spokojnej, **r**odzinnej Wielkiej **S**oboty oraz Wielkiej **N**iedzieli i **m**okrego **ś**migusa-**d**yngusa.
Wasza ciocia Krysia

4

1. Życzę Ci wszystkiego najlepszego!
2. Wielu sukcesów na nowej drodze życia!
3. Najlepsze życzenia z okazji Świąt Bożego Narodzenia i Nowego Roku!

6a

2. d, 3. a, 4. b

20 lekcja

1

1. drukarka, 2. spinacz, 3. długopis, 4. mysz, 5. dyskietka, 6. skaner

2

prezesa, przemówienie, polsku

3

A. Początek: Szanowni i Drodzy Państwo / Koleżanki i Koledzy / Panie Premierze / Panie Ministrze
B. Pierwsze zdanie: Witam / To ważny moment / Spotykamy się dziś na ceremonii
C. Koniec: Jeszcze raz dziękuję za uwagę

4

1. otwarcie autostrady, 2. imieniny, 3. urodziny, 4. przemówienie na konferencji

5

2. a, 3. d, 4. e, 5. c

6

1. Drukarka się zepsuła. 2. Zepsuła się centrala telefoniczna. 3. Serwer się zawirusował.

7

2. i IV, 3. b I, 4. c VII, 5. f IX, 6. e II, 7. d III, 8. a VI, 9. g VIII

8

1. Europy Centralnej, 2. rolnictwa, 3. negocjacji, 4. firm maklerskich, 5. wirusów komputerowych

9

Na przykład: mailować, faksować, logować, czatować, kopiować, kserować, surfować, resetować, korygować, dyskutować, negocjować...

1. Skąd pomysł?

W 1994 roku zaczęła działać w Krakowie nowa szkoła językowa PROLOG. Jest to entuzjastyczny, energiczny i otwarty na nowe pomysły zespół nauczycieli Polaków i obcokrajowców – rodzimych użytkowników nauczanych języków. Skoncentrowaliśmy się na nauczaniu trzech języków: języka angielskiego i niemieckiego oraz języka polskiego jako obcego. Od samego początku nasze metody nauczania determinuje podejście komunikacyjne, które od lat dominuje w nauczaniu języków obcych. Pozwala to naszym studentom na równoległy rozwój wszystkich sprawności językowych oraz stwarza im szansę maksymalnej aktywności językowej na każdym poziomie (nie)znajomości języka.

Programy nauczania języka angielskiego i niemieckiego dla poszczególnych poziomów zaawansowania opracowaliśmy, bazując na standardach nauczania i systemach egzaminacyjnych University of Cambridge Local Examinations Syndicate (obecnie Cambridge ESOL) oraz Instytutu Goethego (obecnie Goethe Institut Internationes).

Wybierając podręczniki, szukamy takich materiałów, które pozwalają nam na przygotowanie ramowych programów nauczania dla poszczególnych grup językowych oraz gwarantują ciągłość materiału na kilkunastu poziomach zaawansowania, na których uczymy. Dlatego zdecydowaliśmy się na serie materiałów renomowanych wydawnictw językowych: Longman, Cambridge University Press, LTP oraz Hueber Verlag.

Na tym tle oferta dydaktyczna do nauczania języka polskiego jako obcego była niezwykle skromna i niekompletna. Dominowały w niej pozycje, które nie wykorzystywały podejścia komunikacyjnego jako sposobu nauczania, co w naszym przekonaniu nie gwarantowało efektywnej nauki mówienia i rozumienia, czytania ze zrozumieniem i pisania w języku polskim. Jednocześnie brak standaryzacji w nauczaniu języka polskiego jako obcego dodatkowo utrudniał jego skuteczne nauczanie.

Korzystając z wieloletnich doświadczeń szkoły w nowoczesnym nauczaniu języków obcych oraz z doświadczeń zebranych przez współpracujących z nami nauczycieli, postanowiliśmy przygotować własne materiały do nauczania języka polskiego jako obcego adresowane do uniwersalnego dorosłego odbiorcy. Taką możliwość dał nam europejski program Socrates / LINGUA 2. Do realizacji w ramach tego programu szkoła PROLOG zgłosiła projekt obejmujący opracowanie koncepcji, napisanie, przetestowanie i wydanie nowoczesnej serii podręczników.

Materiały, które mają Państwo przed sobą, opracowywano przez trzy lata, uwzględniając założenia Europejskiego systemu opisu kształcenia językowego, jak również zgodnie z wytycznymi Państwowej Komisji Poświadczania Znajomości Języka Polskiego jako Obcego. Seria w obecnym kształcie została opracowana z myślą o uczących się do pierwszego certyfikatowego egzaminu na poziomie PL-B1.

2. Akcja Lingua 2 programu Socrates

wspiera projekty, których celem jest opracowywanie materiałów dydaktycznych do nauki języków obcych. Jej celem jest podniesienie standardów w nauczaniu i uczeniu się języków obcych poprzez podnoszenie jakości nauczania oraz tworzenie narzędzi do oceny nabywanych umiejętności językowych.

Zadaniem programu Socrates jest rozszerzanie współpracy europejskiej w dziedzinie edukacji, która obejmuje dzieci, młodzież i dorosłych – od przedszkola po uniwersytet. Celem programu jest kreowanie europejskiego wymiaru w nauczaniu, powiększanie kręgu osobistych doświadczeń o wiedzę na temat innych krajów Wspólnoty, rozwijanie poczucia jedności oraz wspomaganie procesów przystosowywania się do nowych warunków społecznych i ekonomicznych zjednoczonej Europy.

Program edukacyjny Socrates Wspólnota Europejska realizuje w latach 1995-1999 (I faza) oraz 2000-2006 (II faza). Już w roku szkolnym 1996/97 polscy projektodawcy brali w nim udział w ramach działań przygotowawczych. Formalnie Polska przystąpiła do realizacji programu w marcu 1998 roku.

www.socrates.org.pl

3. Autorzy

Autorzy serii to doświadczeni lektorzy języka polskiego współpracujący ze Szkołą Języków Obcych PROLOG i ze Szkołą Języka i Kultury Polskiej Uniwersytetu Jagiellońskiego. Są wykwalifikowanymi nauczycielami, którzy ukończyli studia filologiczne. Ich wieloletnie doświadczenie w pracy dydaktycznej w Polsce i za granicą stanowi istotny atut wykorzystany w pracy nad przygotowaniem podręczników z niniejszej serii.

Agnieszka Burkat

współautorka PO POLSKU 2, PO POLSKU 3 oraz PO POLSKU – Testu Kwalifikacyjnego.

Absolwentka romanistyki na Akademii Pedgogicznej w Krakowie. Od 1996 roku związana ze Szkołą Języka i Kultury Polskiej UJ i Szkołą Języków Obcych PROLOG. Tłumaczka i lektorka języka francuskiego oraz języka polskiego jako obcego. Interesuje się literaturą i malarstwem, wolny czas spędza na wsi. Studiuje psychologię stosowaną. Ma sześcioletniego syna Jędrka.

Agnieszka Jasińska

współautorka PO POLSKU 2, PO POLSKU 3 oraz PO POLSKU – Testu Kwalifikacyjnego.

Absolwentka filologii romańskiej na Akademii Pedagogicznej w Krakowie. Od 1995 roku pracuje jako nauczycielka języka francuskiego, włoskiego oraz lektorka języka polskiego jako obcego. Prowadzi zajęcia grupowe dla dorosłych i młodzieży w prywatnych szkołach językowych w Krakowie; współpracowała ze Szkołą Języka i Kultury Polskiej UJ. Prowadzi grupowe i indywidualne kursy języka polskiego dla firm i instytucji publicznych. Jest tłumaczką języka francuskiego i włoskiego. Interesuje się muzyką, literaturą, filmem.

dr Liliana Madelska

autorka „Polnisch entdecken" oraz współautorka „Discovering Polish" i „Odkrywamy język polski".

Wykładowczyni z dwudziestopięcioletnim doświadczeniem w nauczaniu języka polskiego jako obcego, autorka publikacji naukowych. Pracuje w Instytucie Slawistyki Uniwersytetu Wiedeńskiego. Uprawia sporty wodne i jeździ na nartach.

Małgorzata Małolepsza

współautorka PO POLSKU 1, PO POLSKU 3 oraz PO POLSKU – Testu Kwalifikacyjnego.

Absolwentka filologii polskiej na Uniwersytecie Jagiellońskim (praca magisterska z zakresu psycholingwistyki); od 1994 roku uczy języka polskiego jako obcego. Na Uniwersytecie ukończyła także kurs dla lektorów języka polskiego jako obcego. Prowadziła kursy języka polskiego, grupowe i indywidualne kursy specjalistyczne na wszystkich poziomach zaawansowania m.in. w Szkole Języka i Kultury Polskiej UJ, Szkole Języków Obcych PROLOG w Krakowie, GFPS Polska. Od października 2004 roku jest lektorką języka polskiego na Uniwersytecie Georga-Augusta w Getyndze. Interesuje się nowoczesnymi metodami nauczania języków obcych takimi jak NLP i metoda tandemowa. Jej pasje to języki obce, psychologia, muzyka, taniec, pływanie, film.

dr Waldemar Martyniuk

autor opracowania testu przykładowego na poziomie PL-B1, ekspert wewnętrzny projektu.

Językoznawca, adiunkt na Uniwersytecie Jagiellońskim w Krakowie i wykładowca języka polskiego jako obcego oraz autor podręczników, programów nauczania i testów z języka polskiego jako obcego. Sekretarz Państwowej Komisji Poświadczania Znajomości Języka Polskiego jako Obcego (2003–2004); visiting professor i wykładowca języka i kultury polskiej na uniwersytetach w Niemczech, Szwajcarii i w USA; dyrektor Szkoły Języka i Kultury Polskiej UJ (2001–2004). Obecnie (2005–2006) oddelegowany do pracy w Wydziale Polityki Językowej Rady Europy w Strasburgu jako koordynator projektów językowych.

dr Geoffrey Schwartz

współautor „Discovering Polish".

Uzyskał tytuł doktora slawistyki w 2000 roku na Uniwersytecie Waszyngtońskim. Ma ponad dziesięcioletnie doświadczenie w nauczaniu języków obcych – uczył języka polskiego, rosyjskiego, serbsko-chorwackiego i angielskiego jako obcego. Od 2002 roku prowadzi zajęcia z języka angielskiego jako visiting professor w Instytucie Filologii Angielskiej Uniwersytetu Adama Mickiewicza w Poznaniu, gdzie wykłada fonetykę i fonologię. W swoich badaniach naukowych koncentruje się na zastosowaniu fonetyki akustycznej w nauczaniu języków.

Aneta Szymkiewicz

współautorka PO POLSKU 1, PO POLSKU 3 oraz PO POLSKU - Testu Kwalifikacyjnego.

Od 1998 roku jest lektorką języka polskiego jako obcego i prowadzi zajęcia grupowe i indywidualne na wszystkich poziomach zaawansowania w prywatnych szkołach językowych w Krakowie oraz w Szkole Języka i Kultury Polskiej UJ (w tym także kursy specjalistyczne: ekonomiczne i literaturoznawcze). Absolwentka filologii polskiej na Uniwersytecie Jagiellońskim (1997), Studium Dziennikarskiego Akademii Pedagogicznej w Krakowie (1997) oraz Szkoły Przedsiębiorczości i Zarządzania przy Akademii Ekonomicznej w Krakowie (2003). Współpracowała jako dziennikarka z „Przekrojem", „Dziennikiem Polskim" i „Gazetą Wyborczą" („Gazetą w Krakowie"). Zna język angielski, rosyjski i niemiecki. Jej zainteresowania to literatura, muzyka, języki obce, fotografia, taniec i jazda na rolkach.

dr Małgorzata Warchoł-Schlottmann

współautorka „Odkrywamy język polski".

Absolwentka filologii polskiej i filologii romańskiej Uniwersytetu Jagiellońskiego w Krakowie oraz filologii germańskiej na Uniwersytecie w Heidelbergu. Pracuje w Instytucie Slawistyki Uniwersytetu w Wiedniu. Języka polskiego uczyła na uniwersytetach niemieckich w Heidelbergu, Mannheim, Getyndze, Monachium, Regensburgu oraz na Uniwersytecie Stanowym, Columbus Ohio w USA. Interesuje się odmianami funkcjonalnymi i socjolektami współczesnej polszczyzny i zjawiskami dwujęzyczności.

4. Pomysłodawca i koordynator

PROLOG SZKOŁA JĘZYKÓW OBCYCH, Kraków, Polska

Szkoła językowa działająca w Krakowie od 1994 roku, uznana placówka edukacyjna oferująca kursy języka polskiego jako obcego oraz języka angielskiego i niemieckiego. Opracowuje także nowoczesne pomoce do nauki języków obcych.

Agata Stępnik-Siara

koordynator projektu i redaktor prowadzący serii. Jest dyrektorem programowym Szkoły Języków Obcych PROLOG, lektorem języka niemieckiego i polskiego jako obcego. Zajmuje się nowoczesnymi metodami uczenia (się) języków obcych. Lubi poznawać inne kultury i języki. Interesuje się medycyną naturalną.

5. Partnerzy

UNIWERSYTET WIEDEŃSKI, Instytut Slawistyki, Wiedeń, Austria

W projekcie HURRA!!! recenzent materiałów na różnych etapach ich powstawania, ośrodek testujący i oceniający.

THE BRASSHOUSE LANGUAGE CENTRE, Birmingham, Wielka Brytania

Renomowana szkoła językowa, która prowadzi kursy 25 języków obcych na różnych poziomach zaawansowania.

W projekcie HURRA!!! recenzent materiałów na różnych etapach ich powstawania, ośrodek testujący i oceniający.

SZKOŁA JĘZYKA I KULTURY POLSKIEJ UJ, Kraków, Polska

Znana w świecie instytucja naukowa mająca wieloletnie doświadczenie w nauczaniu języka polskiego jako obcego studentów z całego świata.

W projekcie HURRA!!! ośrodek testujący.

Podziękowania

Szczególne podziękowania pragniemy złożyć na ręce *Pani Profesor Anny Dąbrowskiej* z Uniwersytetu Wrocławskiego. Była silnym wsparciem dla twórców i realizatorów projektu. Jej cenne uwagi oraz sugestie inspirowały nasz zespół, pomagając nam wytrwać do końca w naszych zamiarach i pracować coraz lepiej.

Bardzo serdecznie dziękujemy również *Annie Zinserling* oraz nauczycielom z Kolegium Języka i Kultury Polskiej w Berlinie, którzy testowali pilotażową wersję materiałów.

Dziękujemy gorąco *Pawłowi Poszytkowi*, Koordynatorowi Krajowemu w Agencji Narodowej programu SOCRATES-LINGUA, za instytucjonalne wsparcie oraz wiarę w nasze kompetencje.

Dziękujemy naszym przyjaciołom, *Joasi Czudec* oraz *Magdzie* i *Robertowi Syposzom*. Dzięki ich wiedzy i doświadczeniu pomysły grupy entuzjastów nabrały realnych kształtów.

Agata i Mariusz Siara